RON RASH

En lo más profundo del río

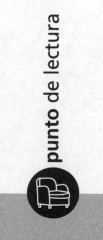

punto de lectura

Natural de Carolina del Norte, **Ron Rash** es
catedrático de Estudios Apalaches en la Universidad de Carolina del Oeste. Hasta la fecha
ha publicado tres libros de poesía, tres volú-
menes de relatos, que le valieron el prestigio-
so premio O. Henry (obtenido en su día por
autores de la talla de William Faulkner, Flan-
nery O'Connor o Alice Munro), y tres novelas.
Tras *One Foot in Eden*, la segunda de ellas,
En lo más profundo del río, logró un gran
éxito de público y de crítica, y cosechó varios
premios relevantes. Su última obra publicada,
The World Made Straight (2006), no ha hecho
sino confirmar la alta calidad literaria de
Rash, una de las voces más personales y reco-
nocidas del Sur estadounidense.

RON RASH

En lo más profundo del río

Traducción de Mercedes Núñez Salazar

Título: En lo más profundo del río
Título original: *Saints at the river*
© 2004, Ron Rash
Traducción: Mercedes Núñez Salazar
© De esta edición: junio 2007, Punto de Lectura, S. L.
Torrelaguna, 60. 28043 Madrid (España) www.puntodelectura.com

ISBN: 978-84-663-0369-9
Depósito legal: B-25.983-2007
Impreso en España – Printed in Spain

Diseño de portada: Ordaks
Fotografía de portada: © Masaaki Toyura / Getty Images
Diseño de colección: Punto de Lectura

Impreso por Litografía Rosés, S.A.

202 / 1

Para Ann

No debe culparse al devoto sino elogiarlo,
aunque limitadamente, pues actúa fielmente
conforme a sus derechos.

WILLIAM JAMES
The Value of Saintliness

PRIMERA PARTE

La niña bordea el río corriente abajo, dejando tras de sí a sus padres y a su hermano pequeño, que continúan dando cuenta del almuerzo campestre. Tiene doce años, y disfruta de sus vacaciones escolares de Pascua. Su padre se ha tomado unos días libres en el trabajo y la familia al completo ha iniciado la ruta de los montes Apalaches en dirección sur, haciendo primero un alto en Gatlinburg; después, en las montañas Smoky, y a continuación, en este río. Encuentra un lugar más arriba de la caída de agua, donde el caudal parece lento y poco profundo. El río marca una frontera entre Carolina del Sur y Georgia, y ella desea llegar hasta el centro de la corriente y colocar un pie en Carolina del Sur y el otro, en Georgia, de manera que de regreso a Minnesota pueda contarle a sus amigos que se ha situado en dos estados diferentes a la vez.

Se quita las sandalias sacudiendo los pies y entra en el río. El agua está mucho más fría de lo que esperaba, y rápidamente se adentra hasta las rodillas, descollando por encima de la plácida superficie. Se estremece. A unos cincuenta metros corriente abajo, se eleva en el aire un acantilado de granito de más de sesenta metros de altura que proyecta su sombra sobre este tramo del río. Vuelve la vista atrás, hacia el lugar donde sus padres y su hermano siguen sentados sobre la *manta de picnic. Allí hace más calor, pues el sol les da de lleno. Por un momento, contempla la posibilidad de regresar junto a ellos, pero ya se encuentra casi a medio camino del centro de la corriente. Da un paso, y el agua le sube por encima de las rodillas. «Cuatro pasos más», se dice a sí misma. «Sólo cuatro pasos más y daré la vuelta». Da otro paso, pero el lecho del río sobre el que intenta colocar el pie ha desaparecido. Aunque se siente empujada hacia el fondo, no se asusta, pues es una experta nadadora que ha superado con éxito todos sus cursos de la Cruz Roja. El agua es ahora menos profunda y el rostro de la niña emerge a la superficie. Respira hondo. Intenta girar el cuerpo para no golpearse la cabeza contra una roca y siente miedo por primera vez. De improviso, se encuentra de nuevo bajo el agua; el zumbido de la corriente le golpea en los oídos. Hace un esfuerzo por aguantar la respiración, pero se estrella la rodilla contra una roca y al ahogar un grito de dolor, la boca se le inunda de agua. Entonces, por unos instantes, la corriente parece estancarse y aminorar la marcha. La niña se impulsa hacia arriba, tose y escupe agua, lucha por recobrar el aliento, arrastra los pies por el fondo del río como si fueran un ancla e intenta sortear restos de madera anegada y saledizos de roca, y mientras la corriente vuelve a cobrar velocidad, ella ve que sus padres y su hermano corren a lo largo de la orilla y cae en la cuenta de que gritan su nombre, aunque no puede oírles, y a medida que las aguas la hacen girar, escucha el sonido de los rápidos y sabe que no hay nada que pueda protegerla de ellos. La corriente acelera cada vez más y otra roca le golpea la rodilla, pero la niña apenas nota el impacto en tanto que intenta respirar, y luego el río la arrastra con fuerza y nota cómo la corriente se desploma y ella cae al mismo tiempo. Conforme el agua va creando remolinos a su alrededor, la niña se sumerge en una profunda oscuridad y al levantar la cabeza se araña contra un techo de roca. Todo es oscuridad y silencio, y se dice a sí misma que no debe respirar, pero la urgencia de hacerlo crece en su interior: comienza en la parte alta del estómago y le sube por el pecho hasta la garganta, y a medida que la necesidad de tomar aire va en aumento, la boca y la nariz se le abren a la vez, los pulmones le explotan de dolor, y luego el dolor desaparece en las tinieblas mientras que brillantes destellos de colores estallan a su alrededor como fragmentos de cristal. Le viene a la memoria su clase de Ciencias Naturales de sexto curso, el gorgoteo del acuario situado en un extremo del aula aquella mañana que la profesora sacó por la ventana un prisma óptico para que se inundase de color, y se le ocurre el hermoso pensamiento de que ahora ella misma se encuentra en el interior de aquel prisma y sabe algo que la propia profesora desconoce: los colores del prisma son en realidad voces, voces que, como una corona, forman remolinos en torno a su cabeza, y en ese momento sus brazos y piernas, que han estado agitándose violentamente sin que ella se diera cuenta, cesan todo movimiento y la niña pasa a formar parte del río.*

Capítulo 1

Fantasmas.

Es la idea que me vino a la mente una mañana de comienzos de marzo mientras miraba fijamente la pantalla en blanco de mi ordenador e imaginaba cómo habría sido aquella sala de redacción cuarenta o cincuenta años atrás. Mucho más ruidosa, por descontado. Se oiría el incesante chasquido de los teletipos y las máquinas de escribir. Sería una sala calurosa, de atmósfera cargada, donde se hablaría a gritos y en la que reinaría una actividad tan intensa como si de una colmena gigantesca se tratase. Una colmena recién fumigada, se podría decir, pues el humo de cigarrillos y puros impregnaría el ambiente, tiñendo el aire de azul y formando una nube inmóvil por encima de las cabezas. Se verían hombres por todas partes, hombres blancos con trajes arrugados, corbata y tirantes. En los escritorios de aquellos tipos no habría agua embotellada, ni barritas de cereales.

Si alguna vez regresaran los fantasmas de aquellos hombres, probablemente darían por sentado que la sala de redacción había sido transformada en un pabellón de hospital, pues en el segundo año del nuevo milenio las bombillas fluorescentes arrojaban un resplandor aséptico. Los rostros de la gente se hallaban encerrados en cubículos, el aire se encontraba libre de humo y durante todo el año la temperatura ambiente se mantenía a veintidós grados. Tal vez lo que más sorprendería a aquellos hombres sería el hecho de que la mitad de los escritorios estuvieran ocupados por mujeres, de diferentes tonos de piel.

Aun así, algunas cosas no habían cambiado. Por gentileza de Thomas Hudson, el mísero propietario de *The Messenger*, los salarios seguían siendo bajos y el horario laboral, terrible; como siempre, las temidas fechas límite proporcionaban enormes dosis de ansiedad.

Lee Gervais, mi gerente editorial, interrumpió mis pensamientos.

—Tengo la impresión de que la señorita Maggie Glenn está soñando despierta, pensando en mí —dijo.

Lee se inclinó por encima de mi hombro y clavó sus ojos legañosos y sanguinolentos en la pantalla en blanco del ordenador. Tenía treinta y ocho años, diez más que yo; pero parecía mayor debido a su rostro amarillento y abotargado y a su escaso cabello, que iba retrocediendo por la frente y a ambos lados de la cabeza. Llevaba una camisa blanca de manga corta, y la piel de la parte inferior de los brazos se le descolgaba como a las ancianas. Provenía de una familia acaudalada, de modo que, en parte, su flaccidez era consecuencia de no haber utilizado jamás los músculos para levantar objeto más pesado que una raqueta de tenis o un palo de golf. Su falta de tono muscular también derivaba de una excesiva afición por la ginebra con tónica.

Estuve a punto de responder afirmativamente, pues sabía que Lee habría preferido la sala de redacción de cincuenta años atrás, una sala donde podría haber contado chistes obscenos mientras daba caladas a un cigarrillo y bebía whisky de la botella que guardaba en el primer cajón de su escritorio.

—No, Lee. Sólo trato de motivarme una mañana de jueves en la que preferiría estar durmiendo.

—Creo que puedo ayudarte —dijo él—. Te traigo un encargo que sería el sueño de cualquier reportero gráfico.

—¿Acaso viene George Clooney a la ciudad? —pregunté yo.

—Mejor aún. Tendrás la oportunidad de trabajar con Allen Hemphill en un artículo que sin duda figurará en primera plana.

—¿Dónde está la trampa?

Lee negó con la cabeza.

—¿Qué ha hecho que una chica campesina del condado de Oconee haya llegado a ser tan cínica?

El acento sureño de Lee se dejaba translucir en sus palabras. Era un acento que había pulido de la misma forma en la que otro hombre podría haber perfeccionado el complicado apretón de manos propio de los masones. Podría decirse que aquel acento era una señal de pertenencia: rememoraba antiguas fortunas y antiguas mansiones, evocaba la Academia Porter-Gaud y los fastuosos bailes de Charleston.

—Un año trabajando para ti —respondí.

—Bueno, ¿te interesa, o no?

—Me interesa; pero ¿por qué no se lo encargas a Phil, o a Julian?

—El trabajo es en el condado de Oconee. Tú conoces a los habitantes y podrás traducir para Hemphill el idioma de las montañas al inglés habitual.

«Así que, efectivamente, hay trampa», pensé yo.

—Verás, Lee. Al contrario de lo que puedas haber oído, el condado de Oconee no es precisamente el corazón de las tinieblas. Está a cuatro horas de distancia; no a cuatro siglos.

Intenté esbozar una sonrisa pero, desde que me había trasladado a vivir a Columbia, estaba harta de escuchar comentarios semejantes.

—Pues a mí me parece que sí —argumentó Lee—. Esa zona del estado solía conocerse como el Rincón Oscuro; sospecho que por alguna razón.

—Te diré cuál es la razón: tus antepasados de Charleston estaban resentidos porque los montañeses se negaban a ayudarles en su lucha por mantener la esclavitud.

Lee asintió con la cabeza.

—¿Los montañeses? ¿Así se les llama ahora? Supongo que los ayatolás de la corrección política me propinarían veinte latigazos si osara mencionar la palabra «pueblerino».

—Pues harían bien —repliqué yo, cambiando el tono de voz—. Es un término ofensivo.

Me fastidiaban las bromas de Lee, pero me había asignado buenos encargos en los doce meses que llevaba trabajando para él. También había convencido a Thomas Hudson para que me concediera un aumento de sueldo en Navidad. Lee no era un mal tipo, sólo que confundía el concepto de insensibilidad con el de masculinidad. En la Universidad de Georgia había pertenecido a la hermandad Kappa Alpha, y detrás de su escritorio colgaba una fotografía enmarcada de sus hermanos de fraternidad posando en el porche de la vivienda de dos plantas, anterior a la guerra. Iban ataviados como soldados confederados; no simples soldados de a pie, claro está, sino oficiales provistos de espada y sombrero con plumas. Lee siempre sería un chico de fraternidad.

—¡Eh! Sólo estaba bromeando —se apresuró a decir.

Le sonreí de la misma manera en la que sonreiría a un niño de ocho años.

—¿Qué tenemos que hacer Hemphill y yo en el condado de Oconee?

—Informar sobre la niña que se ahogó allí hace tres semanas.

—¿Consiguieron sacarla?

—No —respondió Lee—, y ahí precisamente reside la noticia. Su padre está armando un escándalo; dice que las autoridades locales no se esfuerzan lo suficiente. Está intentando contratar a una empresa de diques de contención, pero un grupo de ecologistas radicales quiere impedirlo. Juran sobre sus documentales de ballenas en peligro que va en contra de no sé qué ley federal.

—La Ley de Ríos Salvajes y Paisajísticos. Prohíbe que se altere el estado natural del río.

—Entonces, ¿ya estás enterada del asunto?

—Si te refieres a la niña, no sé más que lo que he leído en el periódico. Pero tengo información sobre el Tamassee y, probablemente, conozco a la mayoría de las personas implicadas.

—Estupendo; así es mucho mejor. Tengo el presentimiento de que la noticia va a alcanzar repercusión nacional. El *Atlanta Constitution* ha publicado un extenso artículo, y los del *Charlotte Observer* han enviado a un corresponsal. Por lo visto, existe la posibilidad de que la CNN se interese también por el suceso.

Lee echó una ojeada al reloj de la pared. Me pregunté si estaría comprobando cuánto faltaba para la hora del almuerzo, cuando tendría ocasión de tomarse un par de cervezas Heineken en el Capital Grill. De vez en cuando, yo le acompañaba, y observaba cómo cerraba los ojos al llevarse a los labios la botella verde para dar el primer y prolongado trago. Estaba convencida de que aquel era el momento álgido de su jornada laboral, en el que debía de sentirse como un alpinista de altura al recibir una descarga de oxígeno.

—La historia está alcanzando notoriedad por todo el país. ¿Por eso lograste convencer a Hemphill para que aceptara el trabajo?

—Fue Hudson quien eligió la noticia —repuso Lee—, y presionó a Hemphill para que accediera a hacerlo. Es evidente que Hudson empieza a hartarse de que su reportero mejor pagado se dedique a cubrir desfiles benéficos y festivales del melocotón.

—¿Y tú estabas de acuerdo?

—Me limito a acatar los deseos del jefe, a cumplir con mi obligación. Pero sólo porque Hemphill haya conseguido unos cuantos premios de renombre —prosiguió Lee, con un matiz de frustración en la voz— no me parece que se haya ganado el derecho a cobrar un buen sueldo por no hacer nada. Si tuviera setenta años y llevara treinta en la profesión, de acuerdo; pero tiene treinta y nueve, por todos los santos. No se ha dedicado a esto ni dos décadas siquiera.

Una vez que Lee hubo terminado, pensé que se trataba de algo más que frustración. Celos profesionales, tal vez. O acaso resentimiento porque alguien de una casta inferior le hubiera sobrepasado en estatus.

Lee volvió a consultar el reloj.

—Confía en Hudson. Si es capaz de hacer que Hemphill mueva el culo, si consigue que escriba todo lo bien que sabe, la historia va a ser sensacional. Reza para que no saquen a la niña antes de que levanten ese dique, porque obtendrás fotografías de primera que podrían interesar a UPI o a Reuters.

—Guardaré mis oraciones para causas más nobles.

—¡Como quieras! —replicó Lee—, pero esa niña está irremediablemente muerta. No veo qué hay de malo en tratar de conseguir un buen reportaje sobre lo que ha sucedido. Eso no le hará ningún daño.

Lee me colocó una mano en el hombro.

—A las 12.00 tengo que saber si aceptas. De otro modo, enviaré a Julian.

—De acuerdo —respondí—. Te lo confirmaré antes del mediodía.

Me dio un ligero apretón en el hombro. Mi tío Mark me dijo en cierta ocasión que las manos de un hombre dan a conocer muchas cosas sobre él. Las de Lee eran más finas y suaves que las de cualquier mujer que yo hubiera conocido.

Me soltó el hombro y salió de mi cubículo.

—Si no vas, no sólo me decepcionarás a mí, sino también a Hemphill.

—¿Cómo es eso? —pregunté. La pregunta iba dirigida a su espalda.

—Hemphill sugirió que te eligiéramos a ti —repuso Lee, haciendo una pausa antes de continuar su camino—. Como yo sabía que has nacido en el condado de Oconee, me pareció una idea excelente y convencí a Hudson de que eras la mejor elección.

* * *

Por la tarde tenía una sesión de fotos en la universidad, pero no me acordaba de si era a las dos o a las dos y media, de modo que consulté mi calendario, un calendario en el que no aparecía marcada ninguna visita al condado de Oconee. No había regresado a casa desde Navidad, y no tenía intención de volver hasta el cumpleaños de la tía Margaret, en el mes de julio; pero la fiesta de la oficina a la que había asistido dos semanas atrás me hizo reconsiderar mis planes. Allen y yo éramos los únicos solteros, por lo que no resultó sorprendente el hecho de que acabáramos juntos en un rincón, apoyados contra la pared y dando sorbos de vino blanco barato servido en vasos de poliestireno de los que se utilizan para el café. Habíamos conversado sobre nuestro historial familiar, que en muchos sentidos resultaba semejante: ambos nos criamos en el Sur rural y fuimos los primeros miembros de la familia en acceder a estudios universitarios. Sin embargo, fui yo quien habló casi todo el tiempo; estaba claro que Hemphill era un hombre que había pasado la mayor parte de su vida dejando que los demás le hablaran de sí mismos, y no al contrario.

Y yo era una mujer que se había pasado la mayor parte de la vida escudriñando las apariencias con el fin de revelar significados más profundos. Allen llevaba una alianza de boda aunque, según afirmaba su secretaria, en su póliza de seguros aparecía la palabra SOLTERO. Yo me había fijado varias veces en aquel anillo, preguntándome si simbolizaba la reticencia a desvincularse de una ex esposa. O sencillamente era un elemento que utilizaba para mantener a distancia a mujeres como yo misma, haciéndonos saber que no le interesábamos.

Pero yo sí le interesaba; al menos eso me pareció en aquel momento. A medida que pasaban los días sin tener noticias suyas, empecé a dudar de mis presentimientos. Sin embargo, Lee los había confirmado.

—Buena chica —dijo Lee cuando, camino de la calle a la hora del almuerzo, me detuve en su despacho—. No te enviaría si no estuviera seguro de que harás un trabajo estupendo.

—¿Cuándo salimos?

—Mañana, a las dos. Tenéis tiempo de sobra para asistir a la asamblea convocada por el Servicio Forestal.

—Mañana a esa hora tenía que fotografiar una concentración de partidarios de la bandera confederada.

—¿Acaso nos estamos preparando para otra secesión? —bromeó Lee—. Más vale que me vaya a casa a desempolvar mi uniforme.

—¿Por qué tomarse la molestia? Volveríais a perder.

—¿Eso crees?

Intenté imaginarme a Lee en el campo de batalla de Virginia, descalzo y sobreviviendo a base de agua de acequia y galletas. Pero yo sabía que habría muerto de un infarto antes de atravesar Bull Street a paso de marcha, ni que decir tiene antes de cruzar la frontera estatal entre Georgia y Virginia.

—¿Y qué pasa con la concentración? —pregunté.

—Enviaré a Philip. —Lee esbozó una sonrisa—: Ya verás, será como unas vacaciones pagadas. Tú disparas unas cuantas fotos y nosotros corremos con los gastos. Hasta tendrás de chófer a un finalista del Pulitzer.

Regresé a mi cubículo y me quedé mirando la pantalla en blanco. Los únicos sonidos a mi alrededor eran el golpeteo de dedos sobre los teclados y el clic de los ratones de ordenador, que recordaba a las señales de telégrafo. Diez personas en la sala, y ninguna pronunciaba palabra; se diría que el lenguaje humano había llegado a ser tan obsoleto como las señales de humo. Me pregunté cómo reaccionarían los viejos periodistas ante ese ambiente enmudecido. ¿Serían capaces de trabajar sin el ruidoso vaivén de tipógrafos e impresores, sin el rugido de fondo de las prensas, sin el olor o el pringue de la tinta fresca?

Abrí la tapa de mi café. El vapor caliente se elevó desde el vaso de poliestireno, arrastrando consigo la densa y oscura fragancia que indefectiblemente me recordaba a la tierra recién removida; no a la marga arenosa del pie de los Apalaches, sino a la tierra negra de montaña que las palas arrojaban al aire al cavar la tumba de mi madre.

«Fantasmas», me dije a mí misma. Más fantasmas.

Capítulo 2

Para llegar a Tamassee, en Carolina del Sur, hay que dejar la interestatal por la última salida, antes de llegar a la frontera con Georgia. Se tuerce a la derecha en la señal de stop y de repente las montañas parecen dar un salto, como si estuvieran agazapadas a todo lo largo de la calzada de cuatro carriles, esperando a que el coche efectúe el giro. Hay que tomar la Autopista 11 hasta llegar a Westminster y girar a la izquierda por la Autopista 76. Mientras tanto, las montañas van aumentando de tamaño y estrechando la franja de cielo hasta que el hueco entre las nubes y la tierra acaba por desaparecer. La carretera de doble carril va enroscándose hacia lo alto como una serpiente negra que ascendiese por un árbol. Al poco rato, empiezan a divisarse menos casas con sus buzones de correos y mayor cantidad de campos de maíz, cercas de alambre de espino y tupidas arboledas. Contemplar los cerezos silvestres es como observar una secuencia de fotografías tomadas a intervalos, pero al revés. Las flores blancas que en Columbia se amontonaban sobre el suelo vuelven a adherirse a las ramas e iluminan la campiña como una corona de fuego. En las montañas más altas, los brotes verdes aún envuelven los incipientes capullos.

Las viviendas, con la excepción de unas cuantas casas de labor de dos plantas, son en su mayoría cabañas de madera o caravanas. Más adelante, no se ve vivienda alguna, únicamente curvas con puestos de guardia de madera que sobresalen del borde de la carretera. Se pasa por una valla publicitaria que reza: LAUREL MIST: OTRA URBANIZACIÓN RESIDENCIAL DE TONY BRIAN. Por encima de la leyenda, un cervatillo pasta en un campo de golf. En algunas de esas curvas se puede ver una cruz elaborada con madera y espuma de poliestireno. Con frecuencia, junto a la cruz hay un jarrón o un bote de conservas lleno de flores; a veces, un ángel de caucho o unas manos de plástico en actitud de oración. Son pequeños santuarios que hacen del ascenso una especie de versión apalache de las estaciones del vía crucis.

—Parece una carretera peligrosa —comentó Allen Hemphill.

—Así es, sobre todo en invierno.

La vegetación ya se iba ciñendo a ambos lados del camino. Unas cuantas semanas atrás, los ciclamores habrían extendido pinceladas escarlata por todo el sotobosque. Los jazmines y las halesias también habrían iluminado la campiña; pero ahora sólo los cerezos silvestres se hallaban en flor.

—¿Has estado aquí arriba alguna vez? —pregunté.

—Sólo una —respondió Allen—. Mi grupo de la escuela dominical acampó un fin de semana a orillas del Tamassee. Fue hace más de veinte años, claro está. Seguro que ha cambiado mucho.

—Probablemente, no tanto como crees.

Me llegó el sutil aroma de la loción para después del afeitado de Allen, una fragancia verde y fresca, como la lima. Olía bien. «Nunca te relaciones con un hombre cuyo olor te desagrade», decía siempre mi tía Margaret.

Volví la vista hacia él, tratando de calibrar la diferencia entre el rostro situado a menos de un metro de mí y la fotografía de la contraportada de *El pilar no resiste: vida y muerte en Ruanda*. La génesis de aquel libro había sido el reportaje elaborado por Allen para el *Washington Post* a mediados de los noventa. Cuatro años atrás, el libro había quedado finalista para el Pulitzer. Yo había comprado un ejemplar después de que nos hubiéramos conocido.

En la fotografía, Allen miraba directamente a la cámara. «He visto cosas que la mayoría de la gente no podría ni imaginar», parecían decir sus ojos. En ellos, se apreciaba además un indicio de arrogancia, como para añadir: «Y soy lo bastante bueno para hacer que el lector las vea también».

Pero Allen había llegado aún más lejos. Los mejores pasajes de *Vida y muerte en Ruanda* conseguían el mismo efecto que las más conmovedoras fotografías bélicas de Mathew Brady o Robert Capa. No sólo te hacían ver; también lograban que jamás olvidaras lo que habías visto.

—Me he traído tu libro sobre Ruanda —dije—. Me gustaría que luego me lo firmaras.

—Claro que sí —respondió Allen, aunque sin mucho entusiasmo.

—Es un libro estupendo. Me lo leí de un tirón.

Allen me dirigió una mirada cargada de escepticismo.

—Es lo que suelo hacer. Empiezo un libro y no lo suelto.

—A mí también me ocurre —coincidió Allen, ahora con una sonrisa—. Cuando era niño, iba a la biblioteca y perdía la noción del tiempo hasta tal punto que sólo me daba cuenta de la hora cuando el bibliotecario empezaba a apagar las luces.

—A veces me sucede lo mismo cuando estoy trabajando. Es como si el tiempo no existiera para mí. Pasan tres horas y me parecen treinta minutos.

Allen asintió con la cabeza.

—A mí me solía pasar cuando escribía.

—¿Te solía pasar? —me extrañé yo.

—Me solía pasar —repitió él.

Era evidente que Allen no deseaba dar más explicaciones al respecto. Me vino a la memoria el archivo sonoro que Hudson había hecho circular después de que Allen hubiera sido contratado. Se trataba de una entrevista que le hizo la emisora NPR el año de su nominación para el Pulitzer. A pesar de llevar una década alejado del Sur, el acento de Allen era el genuino de la zona central de Carolina; pero su actitud resultaba enérgica y sus respuestas, un tanto cortantes. En un determinado momento, cuando el entrevistador le preguntó si alguna vez se cuestionaba su capacidad para continuar cubriendo una noticia especialmente dolorosa, pareció encontrarse a punto de perder la paciencia. Respondió negativamente. Aunque cualquier historia de interés contaba con un componente emocional, el trabajo del reportero consistía en reorientar esa energía emocional en aras de la claridad. A continuación, el entrevistador le preguntó si tenía intención de seguir trabajando en el extranjero, y la tensión acumulada desapareció cuando Allen se echó a reír y dijo algo al efecto de que su mujer estaba intentando que le revocaran el pasaporte.

Evidentemente ella, o acaso ambos, habían decidido en cambio revocar su matrimonio. O, tal vez, habían surgido problemas relacionados con el «componente emocional». Eché una ojeada a su alianza de boda y recordé un poema de mi clase de Literatura Británica en el que una mujer llevaba un collar grabado con las palabras *Noli me tangere*. No me toques.

Trazamos la última curva de la carretera asfaltada. LAVADO EN LA SANGRE DEL CORDERO, proclamaba un pedazo de madera grisácea clavado al tronco de un árbol. Unos metros más adelante se hallaba otro letrero de madera en el que se leía: IGLESIA PENTECOSTAL DE DAMASCO, y mostraba una flecha que señalaba a la izquierda. Una vez que la carretera se hubo enderezado, los huertos de manzanos bordeaban ambos carriles y más adelante surgía a la vista un edificio con un amplio porche en cuyo tejado inclinado habían pintado EXCURSIONES DE DESCENSO DE RÁPIDOS. Treinta metros más allá se encontraba la gasolinera y tienda de ultramarinos de Billy Watson.

—Nos queda poca gasolina —dije, señalando el indicador de combustible con un gesto de la cabeza—. Éste es el único lugar en el que se puede repostar a este lado del río.

—No me había dado cuenta —repuso Allen, y con la mano izquierda dio un golpecito a la luz intermitente.

GOBIOS Y LOMBRICES ROJAS EN VENTA, rezaba el rótulo pintado a mano y situado junto a los surtidores.

—Los surtidores no están encendidos —expliqué—. Hay que pagar primero.

Aunque era demasiado temprano para la llegada de los turistas, Billy ya estaba sentado en una mecedora en el desvencijado porche de su establecimiento, con un libro en las manos y un labrador retriever de color castaño tumbado a sus pies. Llevaba una raída camisa de franela y un pantalón con peto, descolorido; una poblada barba le cubría la barbilla como si de musgo negro se tratara. Lo único que le faltaba era una pipa de mazorca de maíz. Billy tenía una licenciatura en Agricultura por la Universidad de Clemson, y su familia poseía el mayor huerto de manzanos de todo el valle; pero al terminar sus estudios, decidió que su verdadera vocación era la de representar el papel de Snuffy Smith —el personaje de cómic— y embaucar a los turistas. Juró que si fuera capaz de encontrar a un chico bizco que supiera tocar el banjo, lo plantaría en el porche de su negocio y aumentaría los beneficios en un veinticinco por ciento.

—Maggie —dijo Billy. Levantó la mano a modo de saludo, pero no depositó el libro sobre la barandilla hasta que hubo salido del porche.

—Te presento a Allen Hemphill —dije yo una vez que Billy me hubo abrazado cariñosamente.

—William Watson tercero —respondió Billy, alargando la mano—; pero ya que vienes con Maggie, puedes llamarme Billy.

—Encantado de conocerte. Necesito quince dólares de gasolina sin plomo —dijo Allen, entregando a Billy una tarjeta de crédito con una mano y estrechándole la mano con la otra.

Entramos a la tienda. Aunque era media tarde, las dos bombillas desnudas que colgaban del techo no lograban ahuyentar la oscuridad que reinaba en los rincones y cubría la pared posterior. Después de comprarle el establecimiento a Lou Henson, Billy había efectuado una serie de cambios. Había colgado de la pared un nido de avispones y una piel curtida de serpiente de cascabel. En el rincón del fondo, había instalado una estufa de forma redondeada que muchos turistas tomaban por una destilería ilegal de alcohol.

Billy también ponía a la venta artículos cuya presencia en los estantes jamás fue permitida por Lou Henson: para los turistas, camisetas de algodón y gorras de béisbol estampadas con RÍO TAMASSEE, bastones de paseo y postales; para los entusiastas de los deportes de río, sandalias con suela de caucho, camisas de tejido polar y bolsas impermeables para cigarrillos, e incluso guardaba unos cuantos remos en la trastienda.

Pero otras zonas del local permanecían inalteradas. Los suelos seguían despidiendo el olor a aceite de linaza. Un ventilador tan grande como la hélice de un avión rechinaba y traqueteaba colgado del techo. En la primera hilera de estantes se apiñaban aparejos de caza y pesca, casi todos cubiertos por una fina capa de polvo. Yo sabía que si levantara la tapa del abollado arcón de bebidas de color rojo, las latas de Coca-Cola, zumos de frutas y refrescos de cereza estarían cubiertas de agua y hielo, tan frías que habría que sacarlas a toda velocidad.

Y los cigarrillos. Se hallaban detrás del mostrador, en el mismo lugar que dieciocho años atrás, cuando mi padre nos dejó solos a mi hermano Ben y a mí junto a una olla en la que hervían judías a fuego lento, y se dirigió a esa misma tienda para comprar un paquete de Camel.

Bajé la vista y reparé en que mi mano izquierda descansaba sobre la parte de mi brazo que se me había escaldado aquella tarde lejana en el tiempo. En la escuela secundaria adquirí la costumbre de taparme la cicatriz, costumbre de la que nunca había sido capaz de liberarme.

Allen, situado junto al mostrador, se giró hacia mí.

—Si no te importa, voy a comprar un par de cosas que olvidé meter en el equipaje —indicó, al tiempo que guardaba su tarjeta de crédito en la billetera.

—No tengo prisa —respondí yo.

Billy escribió algo en un recibo y lo guardó en la caja registradora. A pesar de su barba exageradamente larga era un hombre atractivo, con ojos de un azul intenso y el cabello negro tan brillante como las alas de un cuervo. No hacía falta consultar la Biblia de la familia Watson para saber que unas cuantas generaciones atrás los indios cherokee y los celtas habían hecho algo más que entablar relaciones comerciales y librar batallas.

—¿Tienes idea de dónde está mi tía Margaret? —le pregunté—. La llamé por teléfono anoche, pero no respondió.

—Joel me comentó que se iba a Greenville, a ver a ese nieto suyo.

—¿Y te dijo cuándo volvería?

—No, pero vendrá a tiempo para la sesión de música de mañana por la noche. Nunca se las pierde, ni siquiera por un nieto.

Billy dirigió la mirada al pasillo posterior del establecimiento, donde Allen se estaba tomando su tiempo.

—¿Y qué os trae por aquí? —me preguntó.

—La niña ahogada.

Billy señaló el nido de avispones situado a sus espaldas.

—Ese nido no es nada en comparación con la que se ha armado desde que ocurrió, pero supongo que tu padre ya te lo habrá contado.

—Hace tiempo que no hablamos —repuse yo.

En los ojos de Billy brilló un destello de decepción, aunque no de sorpresa. Habíamos crecido en granjas contiguas. De niños, Billy, Ben y yo construíamos cabañas secretas en los bosques y recorríamos en barca el arroyo de Licklog en busca de gobios. Los días lluviosos, jugábamos al Monopoly o a las damas chinas. A veces, mi primo Joel también participaba, pero por lo general sólo éramos nosotros tres. Mi madre nos llamaba los Tres Mosqueteros. Billy y yo continuamos nuestra amistad en el instituto y en la Universidad de Clemson.

—¿Qué le sucedió a la niña, exactamente? —pregunté.

Allen sujetaba en los puños un cepillo de dientes y un tubo de dentífrico, pero se demoraba en el pasillo, simulando examinar el equipamiento para pesca.

—Lo único que sé es que su familia estaba almorzando al aire libre y ella decidió meterse en el río —respondió

Billy—, a poca distancia de la cascada del acantilado del Lobo, ni más ni menos.

—¿Intentaron rescatarla sus padres?

—Su madre se lanzó al agua tres veces; tuvo suerte de que el hidráulico no la arrastrara también a ella hasta debajo de aquella roca.

—¿Qué es un hidráulico? —preguntó Allen, quien avanzó por el pasillo hasta situarse a mi lado. Colocó el cepillo de dientes y el dentífrico sobre el mostrador.

—Un lugar donde un obstáculo hace que el agua se mueva en círculos —respondí—. Es algo parecido a encontrarse dentro de una lavadora.

—Sólo que en este caso es una lavadora con una potencia diez veces superior —añadió Billy.

—Pero la niña no está ahora en el hidráulico —apuntó Allen.

—No —respondió Billy—. Está justo detrás.

Cuando Allen abrió su billetera, observé que los compartimentos de plástico para fotografías estaban vacíos.

—Son cuatro dólares y treinta y dos centavos, si no he contado mal —informó Billy mientras recogía el billete de cinco dólares.

—De modo que la niña se encuentra bajo esa roca enorme, a la izquierda de la caída de agua —intervine yo.

—Eso tengo entendido. Randy bajó con una cámara submarina la semana pasada. La corriente apenas permite ver, pero los que examinaron las fotos aseguran que vieron un cuerpo.

Billy entregó el cambio a Allen.

—¿Y el padre? ¿No se lanzó al agua? —se interesó Allen.

Billy negó con la cabeza.

—Maggie puede explicarte que habría sido tan peligroso como inútil. El agua entra a casi seis mil litros por segundo. Sería como intentar apartar a alguien del ojo de un huracán.

—Pero el padre no podía saber que su hija estaba al otro lado del hidráulico —insistió Allen.

Billy se mordió el labio inferior y movió la cabeza con lentitud.

—No se me había ocurrido. —Cerró la caja registradora—: Supongo que iréis a la asamblea.

—Sí —respondí yo.

—Bueno, pues os buscaré. Resultará entretenida, dependiendo de quién aparezca. —Billy me miró a los ojos—: Sobre todo, si se presenta Luke.

—Ten por seguro que estará allí —repuse yo mientras los tres salíamos al porche.

Recogí el grueso libro de tapa dura colocado en la barandilla, en cuyo lomo se leía: *El puma norteamericano y su hábitat*. Se lo mostré a Allen.

—Cuando éramos niños, a Billy le pareció ver un puma. Desde entonces, ha estado intentando demostrarnos que fue verdad.

—Lo vi —aseguró Billy—. Con la cola de punta negra, y todo lo demás.

—¿Y tú eres de la opinión de que no hay pumas en estas montañas? —me preguntó Allen.

—Digamos que soy agnóstica con respecto al asunto. Desde hace décadas ha habido gente que asegura haber visto alguno, pero nadie ha encontrado nunca un esqueleto, ni siquiera excrementos del animal. Luke, el tipo que acabamos de mencionar, jamás ha visto un puma por los alrededores, y eso que pasa más tiempo que nadie en el río.

—El Tamassee y su cuenca ocultan muchas cosas —terció Billy—, incluso al propio Luke Miller. Puede que yo haya encontrado ciertas pruebas empíricas para tu agnosticismo. Mis chicos y yo estábamos acampados en el monte Sassafras hace seis semanas y encontramos un ciervo con cuerna de seis puntas. Le habían perforado la garganta y estaba cubierto de hojas y ramas.

—¿No puede hacer eso un perro salvaje, o un lince? —argumenté.

—Quizá; pero hay algo más: el ciervo había sido arrastrado treinta metros pendiente arriba desde el lugar del ataque. Estamos hablando de un venado de unos cien kilos de peso.

—Espero que llevaras una cámara fotográfica.

—Claro que sí. Gasté dos carretes, y he enviado copias a los del Servicio de Pesca y Vida Salvaje.

—¿Te han contestado?

—Todavía no.

Allen consultó su reloj.

—Voy a poner la gasolina —dijo.

Cuando Allen se dio la vuelta para dirigirse al coche, Billy me hizo una seña para que me quedara a su lado.

—¿Has tenido noticias de Ben últimamente? —preguntó.

—La semana pasada.

—¿Cómo le va?

—El bebé aún no duerme seguido toda la noche; pero por lo demás, todo va bien.

—Salúdale de mi parte la próxima vez que habléis.

Billy apartó los ojos de mí y dirigió la vista al monte Sassafras. Años atrás, Ben, Billy y yo lo habíamos escalado. La escalada fue idea de Billy, una manera de hacer que Ben saliera de su habitación después de otro injerto de piel. Al llegar a la cima, utilizamos la navaja de Billy para tallar nuestras iniciales y la fecha en la corteza de un roble blanco.

Allen colocó de nuevo la empuñadura de la manguera en el surtidor de gasolina.

—Tengo que irme.

—Vuelve por aquí más a menudo, Maggie —me instó Billy con voz amable—. Tu padre va a necesitarte.

Mientras nos alejábamos conduciendo en dirección al río, Billy nos observaba desde el porche. La carretera estaba llena de curvas y pendientes pronunciadas. Una camioneta que venía en dirección contraria se desvió al tomar una curva y por unos segundos invadió nuestro carril. Capté la imagen borrosa de un rostro lampiño; debía de ser un adolescente, probablemente un alumno del instituto.

—Por la forma en la que la carretera se inclina, el río no puede quedar muy lejos —observó Allen.

—Sí —respondí yo—; ya estamos cerca.

Miré por la ventanilla. La arboleda se iba espesando. Se divisaban algunos cerezos silvestres, pero en su mayoría eran álamos y abedules. CAMIONES: CIRCULEN A BAJA VELOCIDAD, rezaba una señal de tráfico amarilla. Pronto dejamos a un lado la urbanización Laurel Mist, a cuya entrada se encontraba una garita de vigilancia con una cancela de madera.

—¿Qué es lo que prohíben, que la gente entre, o que salga? —preguntó Allen.

—Que entre —respondí yo—, a menos que uno tenga muchísimo dinero.

Pasamos conduciendo junto a una serie de cobertizos para manzanas. Cuatro meses más tarde, el terreno frente a ellos se convertiría en un abultado edredón rojo, verde y amarillo, formado por frutos de las variedades Winesap, Granny Smith y Golden. Los estantes de madera se combarían por el peso de las garrafas de sidra de cuatro litros y los tarros de puré de manzana de cuarto de kilo. Las cajas de cartón vacías situadas sobre los mostradores se llenarían de billetes y monedas; pero ahora los cobertizos estaban desiertos, como casetas abandonadas tras un carnaval callejero.

—¿Dónde vive tu padre? —preguntó Allen.

—Pasamos el desvío tres kilómetros atrás.

—¿Quieres que demos la vuelta? —se ofreció.

—No, el motel está un poco más adelante.

Eché una ojeada al reloj del salpicadero.

—La asamblea se celebra dentro de una hora. Hay un café donde preparan barbacoas justo enfrente del motel. La comida es estupenda, si es que no te importa subir tu tasa de colesterol en diez puntos.

—No me importa lo más mínimo —respondió Allen—. Lo que más echaba de menos cuando vivía en el norte era la comida grasienta y el té con azúcar. Tengo que ponerme al día en asuntos culinarios.

—Entonces, Mama Tilson's es el lugar perfecto para ti —sentencié—. Todo lo que sirven está empapado de grasa.

Pasamos junto a la cabaña de madera de Luke. El rótulo que rezaba ESTUDIO FOTOGRÁFICO RÍO TAMASSEE, situado en la fachada, mostraba un par de agujeros de bala que no habían estado allí el diciembre anterior. En el porche se veía una destartalada canoa de aluminio colocada boca abajo. La camioneta de Luke no estaba aparcada frente a la casa, y me pregunté si se encontraría ya en el centro comunitario.

—Es aquí —indiqué, y Allen giró el coche para acceder al camino particular de gravilla del Tamassee Motel.

—Te esperaré en Mama Tilson's —dije mientras Allen abría el maletero—. Reúnete conmigo cuando te hayas instalado.

—¿No vas a instalarte tú?

—Me alojaré en casa de mi padre. Iré después de la asamblea, a menos que necesites el coche.

Me incliné hacia el maletero y agarré el asa del maletín del ordenador portátil. Allen colocó su mano izquierda sobre mi muñeca.

—Puedo sacar todo esto solo —observó, dejando que la palma de su mano se deslizara ligeramente sobre el dorso de la mía y deteniéndola un instante mientras agarraba el asa con la intención de que yo la soltara. Sentí la suave piel del interior de su palma, algo más rugosa en la zona donde se unía con los dedos.

Allen sacó del maletero su maleta y el ordenador.

—No, no necesitaré el coche. —Colocó la maleta sobre el suelo—: Aquí tienes —dijo, y me entregó las llaves.

—Nos vemos en unos minutos —repuse yo.

Observé cómo cruzaba el aparcamiento asfaltado y entraba en la recepción del motel. Era un hombre atractivo. Sus ojos tenían ese azul profundo e inmutable que se aprecia en el cielo de octubre; su cabello castaño y ondulado empezaba a teñirse de gris por las sienes. Llevaba un corte de pelo sencillo y práctico: de barbería, y no de salón de belleza. Su cuerpo, terso y delgado, resultaría bien enfundado en vaqueros y camiseta. Se mantenía en forma.

Tal vez fuera la añoranza propia de una mujer que no había estado con un hombre desde hacía más de un año, pero mientras le observaba desaparecer a través de la puerta me pregunté que sentiría si Allen presionara las yemas de los dedos y la palma de la mano sobre la parte inferior de mi espalda. «Maggie Glen, llevas sola demasiado tiempo», me dije y, al volante del coche, atravesé la carretera.

—¡Mira a quién tenemos aquí! —anunció *Mama* Tilson, saliendo a toda prisa de detrás del mostrador, enfundada en la bata de hospital manchada de grasa que siempre llevaba en lugar de delantal. Se inclinó hacia adelante para abrazarme, sin dejar que la bata me rozara la ropa—. Me alegro de volver a verte, jovencita.

Dio un paso hacia atrás y me miró de arriba abajo.

—Sigues tan guapa como siempre. Aún digo a Billy Watson y a los hermanos Moseley que dejarte escapar fue el mayor error que han cometido.

—Confío en que no se lo digas delante de sus esposas.

—Claro que sí —repuso *Mama* Tilson—. Ellas saben tan bien como yo que es tan cierto como el Evangelio.

Ely, el hijo de *Mama* Tilson, abrió la puerta de tela metálica situada junto al mostrador. Había estado preparando la barbacoa y tenía la frente perlada de sudor.

—Esta carne de cerdo está lista para engrasar —dijo.

—Muy bien —repuso *Mama* Tilson—. Ve a sentarte, Maggie; estaré contigo en un minuto.

—No hay prisa —dije yo—. Espero compañía.

—¿Esa compañía no será un hombre, por casualidad?

—Un compañero de trabajo.

Mama Tilson se echó a reír.

—De acuerdo, Maggie; tus mejillas sonrojadas indican otra cosa, pero no voy a fisgonear. Avísanos a Becky o a mí cuando tú y ese amigo tuyo estéis listos para pedir.

Pude elegir mesa a la que sentarme, aunque el comedor se llenaría rápidamente en cuanto la gente empezara a salir del trabajo. Una hilera de taburetes recorría el mostrador y varias mesas con bancos adosados llenaban el centro de la estancia. La barbacoa se encontraba justo al otro lado de la puerta de tela metálica, y a través de ésta se colaba un intenso olor a humo de nogal, vinagre y carne de cerdo a la parrilla. Me encaminé hacia los reservados situados a lo largo de la pared del fondo, y tomé asiento en uno de ellos. Al contrario que en la tienda de Billy, aquí nada había cambiado excepto la fecha en el calendario de la pared. Lentamente, paseé la mirada por la deteriorada caja registradora de metal, los taburetes reparados con cinta adhesiva y la máquina tragaperras de marca Wurlitzer que tocaba antiguos discos de vinilo de cuarenta y cinco revoluciones.

Se me ocurrió que podría enmarcarlo todo —la caja, los taburetes y la máquina de discos— en una única instantánea y conseguir la clase de fotografía que suele encontrarse en la consulta de un médico o en un calendario de pared, porque evoca un tiempo y lugar supuestamente más sencillos. Una fotografía que, si se la enviara a mi hermano, ocuparía un espacio prominente en su casa. Una fotografía que Ben señalaría con afecto ante sus amigos y parientes políticos, y explicaría el lugar que ocupaba en su pasado.

La última vez que habíamos hablado, Ben recordó las excursiones en bicicleta y las noches de acampada con Billy en el patio trasero. Escuchándole, daba la impresión de que su niñez hubiera transcurrido sin que le hubiera sucedido nada más grave que una fisura en un dedo del pie. Alguien que no le conociera bien diría que, simplemente, se negaba a aceptar la realidad; pero yo sí conocía bien a Ben, y sabía la vida que había creado para sí mismo de adulto. La crónica temprana de su existencia era como una historia escrita con tiza sobre una pizarra: una infancia que él pudo desdibujar, y que luego fue borrando a base de pura bondad.

Pero yo no era como mi hermano; yo no podía dejar pasar las cosas. Ni siquiera lo deseaba. El olvido, al igual que el perdón, tan sólo enturbia los hechos. El propio Ben, a pesar de su carácter nostálgico, había puesto toda la anchura de Estados Unidos entre él y Carolina del Sur.

—¿Qué me recomiendas? —preguntó Allen, al tiempo que se sentaba y abría la carta.

—El especial de la casa.

—No lo veo —dijo Allen.

—No está en la carta —respondí yo—. Sólo la gente de por aquí es digna del especial; pero, al venir conmigo, tú también puedes pedirlo.

—Bueno, pues no voy a perderme esta oportunidad única.

Becky, la nuera de *Mama* Tilson, se acercó a tomar el pedido.

—Dos especiales —dijo Allen.

—¿Buñuelos de maíz o panecillos?

—Buñuelos de maíz —respondió Allen.

—¿Para beber?

—Té con azúcar.

Becky se marchó en busca del té.

—¿Qué tal lo he hecho? —preguntó Allen.

—Te ha clasificado como un forastero ignorante.

—¿Qué me ha delatado?

—El té con azúcar.

—¿Por qué?

—Esa expresión no existe en Mama Tilson's. Si no lleva azúcar, no es té. Pedir té con azúcar es como pedir barbacoa de cerdo.

—De acuerdo pero, hasta ese momento, ¿lo estaba haciendo bien?

—No estuviste mal —concedí yo—. Aunque no le dijiste si querías hojaldre de manzana o de melocotón.

—¿Y cuál debería haber elegido?

—El de manzana. Un muchacho de campo siempre pide aquello con lo que él, o al menos buena parte de sus vecinos, se gana la vida.

Las mesas empezaron a llenarse de familias, y aunque yo ignoraba los nombres de pila de los niños, conocía los de los padres y los abuelos.

Earl Wilkinson entró también y recogió algo de comida para llevar. Earl era un vecino del pueblo que se ganaba bien la vida organizando excursiones de descenso por el río para grupos de empresa o de iglesia, y para cualquiera dispuesto a abonar la tarifa y firmar un documento de declinación de responsabilidad. Earl empezó con una balsa neumática y como único guía; ahora disponía de una flotilla de embarcaciones y, en temporada alta, varias decenas de empleados. Mientras le observaba salir por la puerta me pregunté a qué bando se uniría durante la asamblea.

—Ha llegado el momento de que te ponga en antecedentes con respecto al Tamassee —indiqué, una vez que Becky nos hubo traído el té—. Si no, no entenderás ni una palabra de lo que se griten unos a otros esta noche.

—Te escucho —dijo Allen.

—La cuestión más importante es que el Tamassee está catalogado como Río Salvaje y Paisajístico, y eso significa que la alteración de su estado natural va en contra de la ley federal. Buena parte de lo que está en juego se resume en hasta qué punto puede cambiarse el entorno natural del río, si es que puede efectuarse algún cambio. Las alteraciones incluyen el desvío transitorio de aguas, los diques transportables y cualquier otra cosa que modifique su naturaleza.

—Pero todo lo que mencionas es de uso temporal.

—Los defensores del medio ambiente, y Luke Miller en particular, no lo ven de esa manera. Opinan que una vez que se permita violar la ley, el Tamassee quedará expuesto a toda clase de excepciones, incluyendo los proyectos de los planificadores urbanísticos. No me parece una reacción exagerada: yo misma he sido testigo. Hace veinte años, el Chattahoochee era tan cristalino como el Tamassee; ahora, esa cuenca es poco más que una urbanización de viviendas con un sumidero al descubierto que discurre por en medio.

—Parece como si ya hubieras decidido cuál de los bandos vas a apoyar —observó Allen, aunque su tono no dejaba claro si le parecía bien o no.

—Puede que tengas razón. Me gusta saber que en el mundo existe algo que aún no ha sido corrompido, espacios que no pueden ser comprados y divididos en pedazos para que alguien pueda sacar dinero.

Allen esbozó una sonrisa.

—No me había dado cuenta de que iba a cenar con Wendell Berry.

—Siento mostrarme tan poética —me disculpé yo—, pero el Tamassee es el último río que fluye libre en este estado. Un río salvaje no puede reproducirse ni traerse de vuelta una vez que ha desaparecido.

Becky, cargada con nuestra comida, se abrió camino entre los niños y las mesas.

—¿Alguna cosa más? —preguntó mientras colocaba los platos delante nosotros.

—De postre tomaremos hojaldre de manzana —dijo Allen.

—Eso está hecho —repuso Becky.

Allen se quedó mirando su plato, lleno de carne a la brasa, judías blancas con tomate, buñuelos de maíz y ensalada de col.

—No lleva mostaza.

—Claro que no —salté yo—. En estas montañas sabemos que la mostaza sólo se usa para los sándwiches de pavo, aunque los más ancianos la utilizan como ungüento para el pecho.

—Entonces, ¿qué da sabor a la carne?

—El vinagre. Y el humo de madera de nogal. —Señalé su plato con la cabeza—: Pruébalo y luego, intenta decirme con sinceridad si no es la mejor carne que has tomado en tu vida.

Allen se llevó una pequeña porción a la boca; después, otra más grande.

—Quizá tenga que revisar mi opinión sobre la carne a la barbacoa —claudicó.

Tal vez fuera la comida, o acaso la oportunidad de relajarse tras haber conducido durante horas; pero Allen se mostraba de lo más locuaz. Me habló de su trabajo en varios periódicos de Georgia y Virginia antes de que el *Washington Post* le contratara once años atrás.

—¿Cómo fue tu infancia en Chester? —pregunté, en un intento de que me hablara de algo que no guardara relación con su trabajo.

—Supongo que muy parecida a la tuya, con la única diferencia de estas montañas; había un molino, y poco más. Me gustaba cazar y vagar por los bosques; pescaba y nadaba en un río. Es un buen lugar para crecer, aunque a los ocho años ya sabía que me marcharía de allí.

—¿Y por qué lo sabías?

—Mi profesora de tercer grado tenía uno de esos mapamundis que muestran todos los continentes; era tan grande que ocupaba media pared. El primer día de clase, cogió un alfiler y lo clavó en el mapa.

—Éste es el tamaño de Chester comparado con el resto del mundo.

A continuación, clavó una chincheta donde había estado el alfiler.

—Y esto es Carolina del Sur —añadió.

—En ese momento supe que tenía que conocer más mundo que el que cubrían un alfiler y una chincheta.

Becky retiró nuestros platos y los reemplazó por cuencos con hojaldre de manzana. Miré a mi alrededor y descubrí más rostros familiares. Los niños deambulaban por el comedor mientras sus padres hablaban de una mesa a otra. Hank Williams gimoteaba apoyado en la máquina de discos. Viernes por la noche en Tamassee, Carolina del Sur, el pinchazo de alfiler donde yo había nacido y crecido. No era gran cosa, pero allí habían decidido vivir casi todos los niños con los que yo me había criado. Ahora tenían sus propios hijos, sus empleos como trabajadores manuales y sus hipotecas. Su idea del lujo consistía en salir a cenar un día a la semana y, los sábados por la noche, sesión de música en la tienda de Billy. Aun así, a medida que yo paseaba la vista por el comedor y veía a algunas personas con las que había ido al colegio, me di cuenta de que, al menos esa noche, parecían satisfechas con sus vidas.

—Cuando eras niña, ¿sabías que te marcharías de aquí? —preguntó Allen.

—Sí.

—¿Has pensado alguna vez en volver a vivir en Tamassee?

—No.

—¿Por qué?

—Sería muy difícil volver a encajar, sobre todo porque tampoco encajaba muy bien cuando vivía aquí.

—Te entiendo perfectamente —comentó Allen.

Allen apoyaba las manos y los brazos en la mesa. Mientras hablaba, cerró la mano izquierda y apretó el puño contra su palma derecha, cubriendo así su alianza de boda.

—¿Cómo sabes tanto sobre el Tamassee? ¿Pasaste mucho tiempo en el río, de niña?

—Un poco, sí. Pero casi todo lo que sé lo aprendí más tarde.

—¿Cómo es eso? —se interesó Allen; su palma derecha aún cubría el anillo.

De modo que le hablé de las mañanas de sábado en el centro comunitario, cuando ayudaba a Luke y a los demás que él había reclutado con el fin de conseguir que el Tamassee fuese declarado Río Salvaje y Paisajístico. Le conté cómo el verano siguiente había trabajado como fotógrafa en el río, tomando fotos de las balsas. Le expliqué lo que suponía trabajar con Luke, quien conocía el Tamassee mejor que ninguna otra persona en el planeta. Le mencioné las mañanas frescas y cubiertas de rocío, cuando nos lanzábamos por el canal de Canaan y remábamos hasta las cascadas de Five Falls, y pasábamos el día tomando fotografías de quienes practicaban el descenso de rápidos. Describí los atardeceres que Luke y yo pasábamos a solas en el río, en una canoa, una vez que los turistas y los guías se habían marchado, mientras el sol descendía por detrás del monte Sassafras y los únicos sonidos que se escuchaban eran el murmullo del agua y el croar de alguna que otra rana.

—Me recuerda a Huckleberry Finn y su amigo Jim —comentó Allen.

—Sí, pero fue algo más que una amistad; al menos, durante un tiempo.

Una sonrisa se perfiló en los labios de Allen. Luego, algo más se reflejó en su rostro; tal vez una cierta curiosidad.

—Ya entiendo —dijo—. ¿Crees que querrá hablar conmigo?

—Si te refieres acerca del río, sí.

—El río —repitió Allen, mientras su sonrisa iba en aumento. Luego, se llevó a la boca la última cucharada de hojaldre de manzana—. Ahora bien, ¿quién sabe qué otros temas pueden surgir?

Consultó su reloj.

—Hora de marcharnos —informó.

Un tractor araba el terreno situado detrás de Mama Tilson's, y cuando salimos al aparcamiento me llegó el intenso olor a tierra fresca de los campos de cultivo recién removidos, un olor que yo siempre asociaba con la primavera, aunque no necesariamente con la plantación de nueva vida.

Había estado lloviendo la mañana que nos reunimos bajo la carpa de color verde de la funeraria Jenkins para enterrar a mi madre. La carpa no era lo bastante grande, y nos amontonamos a tan corta distancia del ataúd y la tumba que parecía que quisiéramos expulsar a mi madre de su propio entierro. Sobre todo mi padre, que se mantuvo al lado del reverendo Tilson diciendo «amén» después de cada pasaje, leyendo de la Biblia él mismo después de que el reverendo hubiera terminado, e indicándole a la tía Margaret el himno que había que cantar. Después, a medida que salíamos al exterior, donde nos recibió un día tan gris como las lápidas del cementerio, mi padre le dijo al reverendo Tilson que por fin se había terminado, que había sido una bendición del cielo. Yo no daba crédito a que en ese mismo momento, cuando aún se escuchaba el crujido de las palas y el golpeteo de la tierra contra la madera barnizada, mi padre no se diera por enterado de que nunca volvería a escuchar la voz de su mujer, que no cayera en la cuenta de que la mejor manera de rendir homenaje al silencio de mi madre no era ponerse a hablar, sino escuchar el sonido de las palas reuniendo tierra, y la tierra chocando contra la madera y el murmullo constante de la lluvia. El resto de nosotros así lo entendimos; pero mi padre, no. Él siguió hablando sin parar hasta que llegamos al coche.

Mientras avanzábamos por aquel laberinto de piedra que los muertos habían colocado entre nosotros y el resto de nuestras vidas, entendí algo más: yo no estaba enfadada sólo con mi padre, sino con mi madre también. Porque ahora me tocaría a mí arreglar las cosas entre nosotros. Seguro que mi madre había detectado mi enfado, porque ella siempre intuía ese tipo de cosas como mi padre nunca lo había hecho. Tal vez ella hubiera creído que mi rencor provenía de haber tenido que cuidarla todas aquellas semanas, de que yo tenía veinte años y quería disponer de las noches de los viernes y sábados para otra cosa que no fuera ayudarla a morir. Ella nunca me había preguntado sobre mi enfado, nunca se había dado por enterada. Pero siempre había sido así. Silencio entonces y silencio ahora.

Capítulo 3

El centro comunitario de Tamassee era una modesta construcción de ladrillos de ceniza que tan sólo albergaba unas cuantas mesas y varias decenas de sillas de metal plegables. El tejado necesitaba tablillas nuevas, y la única ventana mostraba una pieza de contrachapado de madera donde antes hubo un cristal. Frondosos arbustos de vellosilla y malvavisco rodeaban los muros, y algunas de las plantas llegaban a brotar entre la grava del aparcamiento. La población local acudía a votar a este edificio donde, de vez en cuando, se celebraban conciertos de canciones tradicionales o música góspel, aunque los transeúntes en su mayoría lo tomaban por un tugurio abandonado.

Pero aquella tarde era diferente. El aparcamiento estaba repleto, sobre todo de camionetas. El destartalado Ford Ranger azul de Luke se encontraba entre los vehículos; en la ventana trasera se veía una descolorida pegatina con la leyenda: LA TIERRA ES LO PRIMERO, impresa bajo un puño en alto. No vi el camión de mi padre, y el propio hecho daba razón de lo enfermo que se encontraba. Era la clase de hombre que desearía dar su parecer sobre el asunto.

Allen detuvo el automóvil a un lado de la carretera, detrás de un Jaguar.

—Ese coche parece fuera de lugar. ¿Sabes de quién es?

—De nadie que yo conozca —respondí—. Puede que pertenezca a algún reportero importante. Desde luego, no a un fotógrafo.

—Yo diría que al propietario de un periódico —apuntó Allen, al tiempo que recogía la grabadora de bolsillo situada junto a mi cámara fotográfica.

En el interior, ya había gente de pie rodeando las paredes; pero en la última fila vimos dos sillas vacías, junto a Billy.

—¿Estás guardando estos sitios para alguien, Billy? —pregunté.

—Para nadie más que tu encantadora persona —respondió él—, y para tu acompañante, claro está.

Coloqué la Nikon y la mochila debajo de la silla, miré a mi alrededor en busca de Luke y le distinguí en la primera fila. Tenía el rostro bronceado, como durante todo el año, porque por muy frío o crecido que estuviera el río, lo recorría casi todos los días. Vestía camisa de franela, pantalón vaquero, calcetines grises de lana y sandalias de suela de caucho. Conociéndole, la camisa era probablemente la misma que solía llevar ocho años antes, cuando nos reuníamos en aquel mismo edificio.

Desde el principio supe que Luke se interesaba por mí, por la manera en que sus ojos buscaban los míos mientras hablaba a todo el grupo, por la forma en que se detenía junto a la mesa en la que yo trabajaba, por cómo empezó a acudir a la tienda de Henson los sábados por la noche y siempre terminaba hablando más tiempo conmigo que con cualquier otra persona. Aparentemente, también los otros se habían percatado de su interés. A veces, yo levantaba la vista y me daba cuenta de que mi padre nos observaba, siempre con semblante serio.

Un domingo por la tarde, Luke vino a mi casa. Mi padre salió a la puerta antes de que a mí me diera tiempo a llegar. Aún llevaba sus pantalones oscuros y su camisa blanca de vestir. Se había quitado los gemelos y enrollado las mangas de la camisa, dejando al descubierto los brazos, cuyos abultados músculos eran fruto de décadas enteras levantando y acarreando peso.

—Maggie me pidió que le prestara este libro, y se me ha ocurrido venir a traérselo —explicó Luke, mostrando un ejemplar de *La deforestación del Paraíso*.

Mi padre recogió el libro de la mano de Luke y lo sujetó unos instantes entre el pulgar y el índice, como calculando el peso.

—¿De qué crees que está hecho este libro, muchacho?

Luke esbozó una leve sonrisa.

—Entiendo a lo que se refiere, señor Glenn; pero existe una diferencia entre la deforestación indiscriminada y la tala responsable.

—Llevo talando madera para pasta de papel desde los doce años —replicó mi padre—. No a tiempo completo, como Harley, aunque ha habido tiempos difíciles en los que ese dinero era lo único que pagaba las facturas.

—Y yo respeto esa actitud —dijo Luke.

—No, no es verdad —saltó mi padre—. Si así fuera, no intentarías dejar sin trabajo a gente como Harley.

Devolvió el libro a Luke.

—Maggie no va a leer esto —aseveró mi padre.

Yo me acerqué más a la puerta, a la distancia suficiente para que Luke pudiera verme. Pero sus ojos estaban fijos en mi padre, y no en mí.

—Le agradecería que se lo entregara de todas formas, señor Glenn —concluyó Luke.

Mi padre le cerró la puerta en las narices.

—No tenías motivos para tratarle de esa manera —le espeté yo mientras la camioneta de Luke se alejaba dando botes por el camino particular—. Sólo quería prestarme un libro.

Yo hablaba en voz baja, porque mi madre estaba durmiendo.

—No lleva aquí ni siquiera un año y se empeña en decirnos cómo tenemos que vivir —repuso mi padre—, lo que podemos y no podemos hacer, y eso que los Glenn y los Winchester llevamos doscientos años en este valle.

Mi padre me clavó la mirada. La cólera se apreciaba en su rostro, aunque no en su tono de voz.

—Y tú les apoyas —prosiguió—. Si eso es consecuencia de tus estudios en la universidad, no debería haber permitido que fueras.

—Tú no me permitiste que fuera —objeté yo—. Fui por voluntad propia, sin ninguna ayuda por tu parte. No seguiría estudiando de no haber conseguido una beca.

—Ninguna ayuda, dices, pero llevo dieciocho años vistiéndote y dándote de comer —dijo mi padre—. Manteniendo un techo sobre tu cabeza. Y no parecía que te importara mucho que fuera el dinero de la madera para pasta de papel el que te compraba la ropa para el colegio y pagaba las cuentas de la tienda de ultramarinos y del médico.

—Tal vez habría habido menos facturas del médico si no hubieras abusado tanto de tus cigarrillos.

Mi padre se quedó callado unos instantes. La indignación que contraía sus rasgos se convirtió en algo más inquietante, más difícil de definir.

Mi madre tosió en la habitación del fondo. Oí el chirrido de los muelles del colchón mientras se revolvía en la cama.

—No voy a volver a dejarte mi camión para acudir a esas reuniones —dijo mi padre, por fin.

—Pues entonces, le pediré a Billy que me lleve —repliqué yo—; y si él no va, iré a pie.

—No voy a preocupar a tu madre con este asunto —dijo mi padre, con los dientes cerrados para mantener bajo el tono de voz—. Ya tiene bastantes problemas como para enterarse de que te has puesto en contra de la misma gente entre la que te has criado.

Me enfurecí aún más por el hecho de que involucrase a mi madre, porque a ella nunca le había importado que mi padre y yo discutiéramos; nunca se había permitido a sí misma que le importara. El remordimiento que yo pudiera haber sentido sobre la cuenta del hospital, se desvaneció como el humo.

—No me he puesto en contra de nadie —aseguré—. No más que Billy o Earl Wilkinson.

—Eso es precisamente lo que estás haciendo —insistió mi padre—; y esos otros, también.

—Lo que pasa es que eres demasiado ignorante para entenderlo —dije yo, y en mi mente imaginé otra capa más sobre el muro que habíamos creado entre nosotros dos.

—Ignorante —reiteró él, y negó con la cabeza. Lo repitió de nuevo, en la misma forma que un niño repite una palabra en un concurso de ortografía—. Mi propio padre me sacó del colegio a los quince años y me puso a trabajar a las órdenes del padre de Harley Winchester como si yo no fuera más que una mula o un caballo de tiro. El viejo Winchester trabajaba también como un animal, diez horas al día, y cada centavo que yo ganaba iba a parar al bolsillo de mi padre. Yo te he dado más a ti de lo que él jamás me dio a mí. Si soy ignorante es porque nunca tuve las oportunidades que tú has tenido.

No dijimos nada más. Ya habíamos dicho todo aquello con lo que podíamos herirnos mutuamente. De manera que mi padre y yo permanecimos inmóviles, en silencio, como boxeadores que han lanzado sus mejores golpes y luego descubren que su adversario aún sigue en pie.

—Ya sé por qué el padre no se lanzó al agua —dijo Billy, señalando la pared más lejana, desde donde el *sheriff* Cantrell y Hubert McClure, su ayudante, observaban la concurrencia—. Nuestro estimado ayudante del *sheriff* pasó por la tienda cuando estaba cerrando. Resulta que Herb Kowalsky tenía una buena razón para no meterse en el río.

—¿Y cuál era?

—No sabe nadar.

—Sí, eso lo explica —murmuró Allen, más para sí mismo que para Billy o para mí. Ni siquiera me había dado cuenta de que estuviera escuchando. Devolvió su atención al rebobinado de la cinta en su grabadora de bolsillo.

—Su mujer y sus hijos llevaban años insistiendo en que aprendiera. Su hija tenía el certificado de natación de la Cruz Roja y quería enseñarle ella misma. Qué ironía, ¿verdad?

Billy dirigió la mirada a través de las hileras de sillas hacia la parte delantera, donde un joven que no reconocí colocó un atril encima de una mesa plegable de metal. El hombre situado frente al atril sacó unos papeles del bolsillo. Vestía el uniforme del Servicio Forestal, y en la solapa de un bolsillo de la casaca había prendida una insignia plateada con un nombre que yo no podía leer.

—¿Quién es? —pregunté a Billy.

—Walter Phillips. El nuevo guardabosques de distrito.

—¿Qué ha sido de Will McDowell?

—Se jubiló en febrero.

—¿De dónde viene Phillips?

—De Luisiana.

Otros dos hombres, ambos ataviados con traje y corbata, se acercaron a Phillips. Éste prestaba atención mientras los hombres hablaban.

—Un tipo con mala suerte, ¿no te parece? —comentó Billy—. Su primer trabajo como guardabosques y le toca ocuparse de un asunto como éste. Apuesto a que desearía estar de vuelta en un riachuelo, persiguiendo cazadores furtivos de caimanes.

Miré a Phillips con más atención. No era ni mucho menos tan corpulento como Will McDowell; de constitución delgada, probablemente no llegaba al metro setenta y cinco de estatura. Tal circunstancia haría su trabajo más difícil por aquellas tierras. Habría hombres, en especial los madereros, que lo pondrían a prueba en mayor medida que a McDowell. Querrían comprobar la rapidez con la que Phillips dejaría al descubierto su debilidad al buscar protección en su escopeta y su placa oficial. Cuando lo hiciera, ellos sabrían que tenía miedo y a partir de entonces le perderían el respeto.

—¿Quiénes son los hombres que están con él?

—No conozco al tipo de la chaqueta marrón. El otro es Herb Kowalsky.

Miré a Allen. Examinaba detenidamente a la gente que llenaba la estancia. Se notaba que tomaba nota mental de la ropa que llevaban, los gestos de sus rostros, la manera en la que parecían tomar partido dependiendo del lugar en el que ocupaban un asiento o permanecían de pie. Una intensidad en la que yo no había reparado antes marcaba el semblante de Allen, y se percibía parte del aplomo y el desapego que yo había observado en la foto de la contraportada del libro. Entonces, aquella expresión se evaporó tan rápidamente como había aparecido, como si él se hubiera descubierto a sí mismo siguiendo un hábito del que aún no se hubiera desprendido.

Walter Phillips se colocó detrás del atril. Durante unos segundos, no articuló palabra; tan sólo miraba fijamente su mano derecha, como esperando a que alguien colocara en ella un mazo, pues en la sala ya se escuchaban algunas voces alteradas que él tendría que acallar. Si

Phillips era como la mayoría de los guardabosques, su destino actual le parecería un sueño: un río salvaje y paisajístico, altas montañas, baja densidad de población. Probablemente le había costado creer la suerte que había tenido al conseguir el puesto, sobre todo al tratarse de un hombre tan joven. En aquel preciso momento no parecía emocionado en lo más mínimo por el hecho de ser guardabosques de distrito del Parque Nacional de Oconee. Phillips parecía un hombre que se hubiera adentrado en un campo de minas sin el mapa correspondiente.

Por fin, asintió con la cabeza en dirección a Myra Burrell, quien había sido secretaria de Will McDowell y ahora trabajaba para él. Myra sujetaba una libreta y un bolígrafo en la mano. Phillips hablaba con voz tan suave que la gente del fondo no lograba oírle.

—Me llamo Walter Phillips —anunció, ahora en tono más alto, lo bastante alto como para acallar el resto de voces. Clavó la vista en una hoja de papel colocada en el atril y comenzó a leer—: Soy guardabosques de distrito del Parque Nacional de Oconee. El propósito de esta asamblea es obtener sugerencias de la población local con respecto a los posibles métodos para recuperar el cuerpo de Ruth Kowalsky del río Tamassee.

Por vez primera desde que había mencionado su nombre, Walter Phillips alzó la mirada. Su rostro redondo y juvenil estaba ruborizado, y aunque la sala no resultaba particularmente calurosa, se apreciaban marcas de sudor en sus axilas y en el cuello de la camisa. Lucía bigote, sin duda para parecer más mayor; y su cabello rubio parecía fino y quebradizo. Se podría apostar a que aún le ponían pegas cuando iba a comprar alcohol.

—Parece lógico que la primera persona en hablar sea Herb Kowalsky, el padre de Ruth.

Herb Kowalsky abandonó la primera hilera de sillas. Parecía rondar los cincuenta años, y llevaba el cabello gris muy corto, como pegado al cuero cabelludo. Mi hermano Ben habría dicho que llevaba el pelo cortado «a cepillo», lo que a Kowalsky no le iba mal, pues mostraba la actitud de un antiguo militar. Vestía un traje oscuro de buen corte, que se notaba hecho a medida. No era mucho más corpulento que Phillips, pero caminaba con la seguridad de un hombre habituado a dominar cualquier situación. Se colocó detrás del atril y se tomó unos instantes para mirar a la multitud. Era patente que estaba acostumbrado a hablar en público, incluso más acostumbrado a ser escuchado, algo natural en un hombre que era vicepresidente de la entidad de ahorro y crédito más importante de Minnesota.

—Quiero dar las gracias al señor Phillip por convocar esta asamblea —dijo con un acento urbano más del Noreste que del Medio Oeste—. Me habría gustado que se hubiera celebrado antes, pero ahora no es momento de detenerse en esa cuestión.

Eché una ojeada a Allen para ver si estaba tomando notas. No era así, pero la luz roja de la grabadora se encontraba encendida. Había colocado la mano delante del aparato, como para esconderlo.

—El asunto es el siguiente —continuó Herb Kowalsky—: durante tres semanas he intentando conseguir mi objetivo con los medios que el condado de Oconee me ha proporcionado, es decir, la Patrulla de Búsqueda y Rescate del condado y los buceadores del condado.

Kowalsky dirigió la mirada al rincón del fondo, donde se encontraban Randy y Ronny Moseley. Sus descoloridas gorras de visera llevaban estampadas las palabras PATRULLA DE BÚSQUEDA Y RESCATE DE TAMASSEE. Eran mellizos. Ronny, que sobrepasaba el metro ochenta de altura, tenía las extremidades largas. Había sido un buen lanzador de béisbol, lo bastante bueno como para recibir ofertas de becas universitarias y sin embargo, al igual que su hermano, había optado por trabajar en los huertos frutales de su familia. Randy poseía una constitución similar, aunque no era tan alto ni tan atlético. Mientras su mellizo jugaba al béisbol, Randy se dedicaba a la práctica del submarinismo. Antes de abandonar el instituto empezó a prestar ayuda en la recuperación de cuerpos por parte de la Patrulla de Búsqueda y Rescate. Ya por entonces se decía que era el mejor buceador de todo el condado.

—Me dijeron que sacarían a Ruth del río en veinticuatro horas. Luego, pasó una semana. Empieza a llover, me comunican que es demasiado peligroso, y transcurren dos semanas más. Creo que ya es hora de que se aparten a un lado y dejen que los expertos tomen el mando.

—Muy diplomático, ¿verdad? —dijo Billy con sarcasmo, sin molestarse en bajar el tono de voz.

Miré a Randy y Ronny, con sus gorras plegadas por el centro y empujadas hacia atrás en el mismo ángulo; con los brazos cruzados, el derecho sobre el izquierdo. Sus rostros, bronceados tras varias semanas en los huertos frutales, no desvelaban emoción alguna mientras sostenían la mirada de Herb Kowalsky.

Pero el rostro del hombre que se encontraba de pie junto a ellos sí mostraba cierto grado de tensión. Era mi primo hermano Joel Lusk, el hijo pequeño de la tía Margaret. También mantenía los brazos cruzados. Mordiéndose el labio inferior con sus dientes frontales, movió la cabeza ligeramente. Joel tenía veintinueve años y estaba divorciado. Vivía en una caravana que había instalado junto a la casa de la tía Margaret.

—El hombre que ha venido conmigo esta noche, Pete Brennon, se dedica a la construcción de diques portátiles —prosiguió Herb Kowalsky—. Puede desviar suficiente agua de la cascada del acantilado del Lobo como para sacar a Ruth, y el dique puede quedar instalado en sólo cuatro horas.

Kowalsky trasladó su mirada a Luke.

—No es mi intención subirme a este estrado y apelar a vuestros sentimientos, aunque podría hacerlo. Podría contaros cómo me siento al saber que mi hija sigue en ese río. Podría haber traído a mi esposa, la madre de Ruth, y dejar que os explicara el infierno por el que hemos pasado estas tres últimas semanas. No le habría resultado difícil subirse aquí y echarse a llorar, porque es lo único que hace últimamente. Pero no voy a permitir que pase por ese trago. Lo único que voy a hacer es pediros que penséis qué haríais vosotros si Ruth fuera vuestra hija.

Kowalsky se hizo a un lado del atril.

—Acércate, Pete.

El hombre que antes había estado sentado junto a Herb Kowalsky se colocó detrás del atril. No llegaba a los cincuenta años y medía un metro ochenta, si bien mostraba un vientre abultado. La chaqueta y la corbata, que no casaban en absoluto entre sí, parecían haber sido adquiridas diez años atrás en los almacenes Kmart. Las gafas de montura negra que llevaba hacían que sus ojos parecieran enormes, como de búho. Si uno se cruzara con él por la calle, lo habría tomado por un farmacéutico o un joyero, y no por un constructor de diques.

—Ya me han presentado a algunos de ustedes —dijo—; pero para quienes no me conocen, me llamo Peter Brennon. Soy el propietario de Diques Portátiles Brennon, compañía con sede en Carbondale, Illinois. También soy el inventor de este tipo de dique.

La voz de Brennon tenía la inflexión monocorde del Medio Oeste propia de los presentadores de los telediarios. Era la clase de inflexión que enseñaban en Charlotte y en Atlanta —incluso en Columbia— a los nativos del Sur que se avergonzaban de hablar como sus padres y abuelos. Pero tales enseñanzas no se impartían en el condado de Oconee.

—El señor Kowalsky me ha pedido que les hable del dique y después responda a las preguntas que puedan surgir.

Brennon giró la cabeza en dirección a Kowalsky, quien no había tomado asiento, sino que permanecía de pie junto a Walter Phillips, lo que mi profesor de oratoria en la universidad habría catalogado como «comunicación no verbal»: Kowalsky hacía saber a Phillips y al resto de los presentes en la sala su consideración de que él era la persona al mando en aquella asamblea.

—Tómate el tiempo que necesites, Pete —dijo Kowalsky, mirando al público mientras hablaba—. Se ha dado mucha información falsa sobre ese dique, y ya es hora de dejar las cosas claras.

—La idea principal no es detener el agua, sino desviarla hacia el lado derecho de la cascada —explicó Brennon—. El dique en sí tendrá un metro y medio de alto por cincuenta de ancho. Es portátil. Lo instalaremos y lo quitaremos el mismo día.

Antes de comenzar a hablar, Peter Brennon había apoyado contra el estrado una fotografía laminada de gran tamaño. Ahora señalaba la foto del dique a medida que explicaba en detalle cómo y por qué funcionaría. Hablaba como un ingeniero —no como un comerciante ni como portavoz de una familia desconsolada—, un especialista que creía tener la solución a un complicado problema técnico.

Se produjo un movimiento en la primera fila. Luke se puso en pie, metió las manos en los bolsillos del pantalón y esperó a que Brennon se diera por enterado de su presencia.

—Asegúrate de que tu grabadora esté funcionando —le murmuré a Allen—; esto empieza a ponerse interesante.

Nadie se levantó a la vez que Luke, pero sus partidarios abarrotaban la primera fila. Al igual que él, vestían vaqueros, camisas de franela y sandalias con suela de caucho. Casi todos eran universitarios que habían viajado hasta allí sólo para la asamblea, estudiantes que en vacaciones trabajaban en el río. Earl Wilkinson les proporcionaba comida y alojamiento, y un sueldo tan bajo como legalmente le estaba permitido.

Con todo, muchos de ellos habrían trabajado sin pedir nada a cambio. Recorrer los rápidos durante el día e ir de fiesta durante la noche era una manera bastante buena de pasar el verano. Cualquier dinero que pudieran embolsarse lo consideraban como un privilegio adicional. Aunque la mayoría de sus clientes tomaban el Tamassee por una versión más larga y peligrosa de los ríos artificiales de Six Flags o Disney World, los guías lo tenían por algo sagrado, e inevitablemente se sentían atraídos hacia Luke y su causa. Se llamaban a sí mismos «ratas de río»; los vecinos les llamaban «discípulos de Luke», y no precisamente con afecto.

Me quedé mirando a la chica que estaba sentada al lado de Luke. Llevaba el cabello rubio recogido en una coleta. Alargó el brazo y estrechó la mano de Luke unos instantes. Luego, se giró hacia atrás y pude verla mejor. Su cutis terso confirmaba que rondaba los veinte años, lo que no me sorprendía. A Luke Miller siempre le habían gustado las mujeres jóvenes e impresionables.

—¿Cómo piensa anclar ese dique suyo? —preguntó Luke, en voz lo bastante alta como para que quienes se encontraban a sus espaldas pudiesen oír, además de su pregunta, el desafío en su tono de voz.

Uno nunca imaginaría que había crecido en Gainesville, Florida, hijo de un neurocirujano y una profesora de Inglés de la Universidad de Florida. Tras una década de vivir en aquellas montañas, su acento era puro apalache del Sur.

—Practicando unos cuantos agujeros de pequeño tamaño en el lecho de roca —respondió Brennon—. Es todo lo que necesitamos. Nada importante. Nada que nadie pueda ver.

—Eso va contra la ley federal —sentenció Luke—. Viola la Ley de Ríos Salvajes y Paisajísticos de 1978.

Luke sacó unas gafas de montura metálica del bolsillo de su camisa. Las gafas me parecieron una concesión para un hombre que presumía de ver las cosas con tanta claridad. La chica de la cola de caballo le entregó unas páginas fotocopiadas. Me pregunté si ella y Luke vivirían juntos.

—«Por la presente se declara como política de los Estados Unidos de América que ciertos ríos seleccionados de la Nación que, junto con sus entornos inmediatos, posean valores extraordinarios de carácter paisajístico, recreativo, geológico, pesquero, silvestre, histórico o cultural, u otros valores similares, serán conservados en sus condiciones de flujo libre, y que los mismos y sus entornos inmediatos serán protegidos para beneficio y disfrute de las generaciones actuales y futuras.»

Luke pasó a otra página.

—Para concretar aún más —añadió—: «No se permitirá la alteración o modificación del cauce del río».

Se quitó las gafas y se quedó mirando, no a Brennon, sino a Phillips.

—Ahí está, en letra impresa. Ésa es la ley, y el Servicio Forestal tiene la obligación de hacerla cumplir.

Kowalsky regresó al estrado y se colocó junto a Brennon.

—La ley es más ambigua de lo que usted da a suponer —intervino Kowalsky—. La ley no contempla la posibilidad de lo que le ha ocurrido a mi hija.

—Entonces, llevemos el caso a los tribunales —propuso Luke—. Por mí, estupendo.

—Eso es lo que le gustaría, ¿verdad, Miller? —replicó Kowalsky con tono airado—. Uno o dos años de pelea en los tribunales.

Brennon parecía desconcertado.

—¿Me está diciendo que, si se tratara de su hija, no querría usted que el dique se instalara? —preguntó.

Luke devolvió el fajo de fotocopias a la chica. Se volvió a quitar las gafas y las introdujo en el bolsillo de su camisa.

—No tengo ninguna hija —respondió Luke. Su tono de voz ya no resultaba hostil, sino amable—; pero si la tuviera y hubiera muerto, y yo estuviera convencido de que no podía hacer nada para devolverle la vida, no se me ocurriría mejor sitio que el Tamassee para que descansase su cuerpo. Querría que mi hija se encontrara allí donde formase parte de algo puro, hermoso e inalterable, lo más cercano al Edén que nos queda en la Tierra. Dígame si existe un lugar mejor, señor Brennon; yo no conozco ninguno.

Brennon no se esperaba una respuesta semejante. Abrió la boca como si quisiera decir algo, pero no llegó a articular palabra. Durante unos instantes, el silencio reinó en la sala. Daba la impresión de que todos los presentes estuviéramos en estado de letargo, de que Luke nos hubiese trasladado a ese lugar tranquilo y hermoso donde yacía Ruth Kowalsky. Luke se sentó. La chica colocó su mano sobre la de él y allí la mantuvo.

Siempre había sido bueno con las palabras. Antes de abandonar la universidad para trasladarse a Tamassee, se había especializado en Lengua Inglesa. Al poco tiempo de que nos hubiéramos hecho amantes, Luke se marchó a Florida a pasar seis meses. Llamaba de vez en cuando, y en dos ocasiones aquel invierno viajó en coche hasta Clemson para pasar el fin de semana conmigo. Gracias a sus cartas, me enamoré perdidamente de él a pesar de la distancia física que nos separaba.

Aun así, aquella tarde no era sólo la elocuencia de Luke lo que otorgaba tanta fuerza a sus palabras. La mayoría de la gente presente en la sala sabía que estaba dando voz a sus auténticas convicciones. Estaba expresando buena parte de lo que yo también creía.

—Ha situado a Ruth en un lugar idílico —dijo Kowalsky—, tal vez sagrado. —Miraba a Luke mientras hablaba, si bien sus expresiones no estaban teñidas de cólera o cinismo. Daba la impresión de que se hubiera declarado una tregua; ambos sabían que pronto se iba a romper, pero al parecer Kowalsky deseaba prolongarla unos instantes. Era comprensible, se necesitaba un momento de calma. Ahí estaba un hombre que toda su vida había logrado sus propósitos por medio de la cólera y la intimidación; pero también un hombre que había aprendido algo importante: nada de lo que le había convertido en un triunfante hombre de negocios podría devolverle la vida de su hija. ¿Qué podía ser peor para un hombre así que observar cómo el río arrastraba a su hija hasta el fondo sin que él fuera capaz de hacer nada, observar cómo su esposa se lanzaba al agua mientras él permanecía inmóvil en la orilla?

Entonces, Kowalsky sacudió la cabeza, y cualquier atisbo de vulnerabilidad que se pudiese haber permitido se desvaneció tan rápidamente como si no hubiera ocurrido en absoluto, como si los demás lo hubiéramos imaginado.

—Pero mi esposa nunca podría verlo de esa manera —prosiguió—. No; no podemos abandonar a nuestra hija en el río. No permitiré que suceda. —Dio un paso atrás y se giró hacia Brennon—: Sigue y termina lo que estabas diciendo.

—No hay mucho más que decir, excepto que el dique puede ser instalado, utilizado y desmontado en un día. Un solo día. Una sola vez. —Brennon hizo una pausa y paseó la vista por la sala; después, volvió a fijarla en Kowalsky. Daba la impresión de que trataba de entender qué estaba pasando—: No entiendo cuál es el problema —dijo. No sonaba enfadado, ni siquiera molesto; tan sólo aturdido.

Luke se levantó otra vez.

—Sentaría un precedente —alegó—. Dejaría al Tamassee expuesto a toda clase de perjuicios. Si se desvía el cauce del agua para esto, también podría hacerse para permitir el paso a vehículos todoterreno, por ejemplo. Si se construye un dique, ¿por qué no construir bloques de apartamentos, o una noria gigante y un tobogán de agua y luego cobrar la entrada? ¿De qué sirve una ley que no se hace cumplir?

Luke trasladó la mirada a Phillips.

—Pero eso no va a ocurrir. El trabajo del Servicio Forestal consiste en hacer cumplir esa ley, que el guardabosques de distrito conoce a la perfección.

Kowalsky se acercó al estrado otra vez.

—Ya ha pronunciado su discurso, Miller —le dijo a Luke—. ¿Alguien más tiene algo que decir o preguntar al señor Brennon?

—Yo tengo una pregunta. —Joel hablaba desde un lateral de la sala. Al igual que Randy y Ronnie, llevaba una gorra de la PATRULLA DE BÚSQUEDA Y RESCATE. Era alto y de espaldas anchas, como mi padre, y su mandíbula tenía la prominencia y determinación de esa rama de mi familia. Aunque su apellido fuera Lusk, su apariencia era Glenn al cien por cien. En otros aspectos, también era como mi padre.

—Usted procede de Illinois, ¿no es así, señor Brennon?

—Así es —respondió Brennon—. De Carbondale.

—Esos diques portátiles de los que habla —dijo Joel; cada una de sus sílabas era extraída con la lentitud y dificultad con que se extiende la melaza—, ¿los ha utilizado en los ríos de Illinois?

Yo ignoraba adónde quería llegar Joel con sus preguntas, pero lo hacía a la típica manera del chico bueno del Sur: como si fuera torpe como un cerrojo. Pero no era torpe, en absoluto. Tuviera lo que tuviese en mente, lo había pensado con antelación; de no ser así, no habría tomado la palabra.

—Efectivamente —respondió Brennon—. Los hemos utilizado en una serie de arroyos y ríos, no sólo en Illinois, sino también en Indiana.

—Arroyos y ríos de aguas planas y caudal lento —observó Joel, y esta vez no era una pregunta.

—¿Qué insinúa? —preguntó Kowalsky, dando un paso adelante desde el estrado, acercándose a Joel.

—No insinúo nada, lo estoy diciendo claramente —replicó Joel—. Un río de aguas rápidas es diferente a cualquier otro. Las cosas que funcionan en un río en tierra llana no funcionarán en el Tamassee.

—Me parece que el señor Brennon conoce las posibilidades de ese dique mejor que usted —repuso Kowalsky.

—Pero no conoce este río —argumentó Joel—, no como lo conocemos quienes hemos pasado aquí toda nuestra vida.

Evidentemente, Kowalsky no estaba acostumbrado a que otra persona tuviera la última palabra. Sus pupilas se contrajeron; su mirada furiosa recorrió la sala antes de volver a posarse en Joel. Tal vez esperaba que éste bajase los ojos, pero le sostuvo la mirada sin parpadear, con ojos tan implacables como intensos los de Kowalsky, lo que enfurecía a este último aún más. Dejó que su mirada se desplazara ligeramente para incluir a Ronny y Randy Moseley y a varios otros hombres que llevaban gorras de la Patrulla de Búsqueda y Rescate. La imaginería poética de Luke ya estaba olvidada.

—Puede que vosotros, pueblerinos, no sepáis tanto sobre el río como creéis —estalló Kowalsky—. Puedo asegurar que lo he comprobado con mis propios ojos.

Si Kowalsky no hubiera mencionado el término «pueblerinos», posiblemente Joel no habría respondido de la manera que lo hizo. Las cosas podrían haber terminado sin más, con Joel encogiéndose de hombros o diciendo algo parecido a «ya veremos».

Joel habló, con voz suave pero segura.

—Lo conocemos lo suficiente como para no permitir que una niña de doce años se adentre en medio del agua durante la crecida de primavera.

—Dios te maldiga por decir eso —replicó Kowalsky a gritos. Brennon le agarró del brazo y tiró de él hacia atrás.

Aquello acabó con la paciencia de Walter Phillips, quien se unió a Brennon y a Kowalsky junto al atril.

—Intentemos mantener las formas —dijo, pero ya nadie le prestaba atención. El ambiente en la sala había adquirido un tono tan ruidoso y agitado que recordaba a una subasta de tabaco. Se formaron grupos cerca del estrado y en los pasillos. Gritando entre ellos, Luke y sus «ratas de río» formaban el más numeroso y estridente. Phillips, de pie detrás del atril, permitió que la gente se desfogara unos minutos, acaso con la esperanza de que el tumulto se desvaneciera por sí solo, como un incendio de matorrales.

Joel se dio la vuelta y caminó hacia la puerta con paso lento y medido. Había dicho lo que tenía que decir y no veía razón alguna para continuar allí.

Miré a Allen. Éste se inclinó hacia adelante en su silla, con su atención fija en Kowalsky.

—Joel se ha pasado —comentó Billy—; pero no le culpo, sobre todo después de ese comentario sobre los pueblerinos. Kowalsky empezó a denigrar a la Patrulla de Búsqueda y Rescate en cuanto llegó a Tamassee. Han tenido que aguantar mucho por parte de ese hombre.

Allen se giró hacia Billy, con una expresión de incredulidad marcada en el rostro.

—Ese hombre ha perdido a su hija —dijo Allen—. ¡Sólo quiere sacarla del río, por todos los santos!

76

El arrebato de Allen me sorprendió tanto como a Billy. En su libro, Allen había escrito sobre una matanza de tutsis en el interior de una iglesia católica. Con preciso detalle clínico, describía cómo las doscientas personas entre hombres, mujeres y niños se encontraban esparcidas alrededor del altar. Una expresión en particular se me había quedado grabada: «un rompecabezas de extremidades humanas».

Era bueno verle reaccionar emocionalmente, pues a pesar de que yo admiraba su forma de escribir, encontraba desconcertante su mirada impávida. Al leer su libro me había preguntado, y no por primera vez en mi vida, si el hecho de presenciar demasiado sufrimiento podía llegar a abrumar el propio corazón. En mis momentos más generosos me había preguntado lo mismo acerca de Luke.

—Más vale que Phillips tenga cuidado —dijo Billy pasados unos minutos—, o esto va a ponerse feo de un momento a otro.

El *sheriff* Cantrell debía de haber pensado lo mismo, porque rápidamente se acercó al atril y habló con el guardabosques. Hubert McClure avanzó junto a la pared para acercarse al grupo de Luke.

Yo busqué por la sala a Earl Wilkinson. Sentía curiosidad por saber qué bando había escogido. Estaba solo, de pie, cerca de la puerta trasera. Aunque no había ejercido un papel tan fundamental como Luke, había puesto de su parte para conseguir que el Tamassee fuera declarado Río Salvaje y Paisajístico. Pero también era un empresario. A medida que aumentaba el número de

77

balsas que lanzaba al río, algunas personas —entre ellas Luke y Billy— habían llegado a considerar que Earl estaba más interesado en proteger su margen de beneficio que el propio Tamassee.

El *sheriff* Cantrel permaneció ostensiblemente de pie junto a la mesa, mientras Walter Phillips ascendía al estrado.

—Esta asamblea no continuará hasta que las personas presentes regresen a sus asientos —gritó Phillips por encima del estrépito—. De otro modo, se suspenderá de inmediato.

La gente bajó la voz y se sentó.

—¿Alguno de los que no han hablado todavía tiene algo que decir? —preguntó Phillips.

Harley Winchester se puso en pie. Se había sentado en la última fila, a la derecha, de manera que su ojo bueno quedase frente al atril. Vestía pantalón de peto y robustos zapatos de cuero con puntera metálica. Su camiseta de cuello en pico mostraba manchas de tierra, sudor y grasa.

—Yo tengo algo que decir.

Harley paseó la vista por toda la sala; su ojo derecho ciego era de un azul lechoso, turbio. Había perdido ese ojo diez años atrás mientras talaba madera en la frontera con el entorno protegido del Tamassee. Alguien había incrustado un clavo en un enorme roble; la sierra de cadena de Harley lo golpeó y un pedazo de metal se le clavó a la profundidad suficiente como para condenar su ojo derecho a la oscuridad eterna. Harley consideraba a Luke responsable de que aquel clavo estuviera en el árbol. No porque el propio Luke lo hubiera clavado, sino porque quienquiera que fuese el autor, tenía que encontrarse entre los seguidores de Luke.

—Sé cómo lo habrían hecho hace veinte años —dijo Harley, mientras su ojo recorría la sala—. Habrían lanzado dinamita a aquel tramo del río para que el estallido hiciera salir a la niña. Pero ahora las cosas han cambiado, y mucho. Hace veinte años yo podía cortar madera en cualquier lugar del Tamassee que se me antojara. Podía abrir nuevos caminos de tala o llevar la madera flotando corriente abajo si hacía falta. Ahora no puedo talar a menos de cuatrocientos metros del río. Si arrojase una roca al agua, probablemente me arrestarían.

Harley posó su ojo izquierdo en Luke.

—Desde luego, las cosas son distintas para los piragüistas y los fotógrafos. Ellos utilizan el río para ganar dinero, y después dicen a todos los demás que no lo toquen, ni siquiera para sacar un cadáver.

Durante varios segundos, nadie pronunció palabra. Harley pasaba de los cincuenta años, pero a la hora de trabajar aún superaba a cualquiera de los demás madereros. Había engordado notablemente alrededor de la cintura, pero sus brazos eran tan musculosos como los de un jugador de fútbol americano profesional. Era conocido por su moralidad inquebrantable. A la gente de los alrededores le gustaba ponerse del lado del bueno de Harley.

Luke no se molestó en levantarse.

—Una cámara fotográfica y una balsa aceptan el río y su cauce tal como son, Harley. No se altera nada.

—Bravo, Luke —dijo Billy por lo bajo.

—Puede que nos estemos preocupando demasiado por el río y no lo suficiente por las personas —observó un hombre situado cerca de la primera fila a quien yo nunca había visto antes.

—¿Quién es? —pregunté a Billy.

—Tony Bryan.

—¿Así que ése es Bryan?

—Sí —respondió Billy—. Un especulador en toda regla.

Yo le imaginaba mayor, por lo menos en la cincuentena, pero estaba más próximo a los cuarenta. Vestía pantalón caqui y camisa de algodón verde de manga corta. Lo que parecía un Rolex relucía en su muñeca.

—Bueno —dijo Billy—. Parece que ya tenemos a todos los jugadores principales presentes y en sus puestos.

Laurel Mist era la urbanización de Bryan. La había construido dos años atrás y ya había vendido cuarenta viviendas. Según los anuncios a toda página que yo había visto domingo tras domingo en *The Messenger*, estaba preparado para iniciar la segunda fase: cuarenta nuevos hogares bordeando el arroyo de Licklog, justo hasta la zona protegida del Tamassee.

—Estoy de acuerdo con este hombre —dijo Bryan, señalando con la cabeza a Harley—. Tal vez debería permitirse que el Tamassee prestara servicio a todas las personas de esta comunidad.

Billy soltó un bufido.

—Harley es exactamente de la clase de personas para las que Bryan ha construido esa garita de vigilancia: para mantenerlas fuera.

—Cualquiera que quiera usar el río puede hacerlo —intervino Luke, que ahora se había puesto de pie y miraba a Bryan fijamente—. Puede recorrerlo en balsa, pescar, nadar y organizar comidas campestres en la orilla. No tenéis derecho a destrozarlo.

—¿Quién ha hablado de destrozarlo? —preguntó Bryan—. Vosotros, los ecologistas radicales, nunca veis más allá de vuestro intolerante punto de vista. A mí me conviene mantener el Tamassee limpio y puro tanto como a vosotros. La belleza natural del río es la mejor baza con la que cuento a la hora de vender. ¿Por qué iba yo a dañar mi propia inversión?

La chica sentada junto a Luke se levantó.

—Para cuando el daño se haga evidente, ya habrás vendido todas esas parcelas y viviendas. Y lo sabes muy bien, cabrón.

Bryan negó con la cabeza y sonrió.

—El constructor sin escrúpulos viene a destruir el edén. El tópico más antiguo del manual del ecologista chiflado, ¿verdad?

—No —replicó Luke—; sólo es el más verdadero. Las cosas sólo se convierten en tópico cuando ocurren una y otra vez.

—¿Algo más? —preguntó rápidamente Walter Phillips. Era evidente que deseaba con todas su fuerzas que no lo hubiera—. Entonces, se levanta la asamblea.

Saqué mi Nikon de la funda y tomé una fotografía de Kowalsky mientras le decía algo a Phillips; después, disparé un par de veces al gentío a medida que se dispersaba.

—Voy a acercarme a hablar con el padre de la niña —dijo Allen, y se abrió paso entre la multitud en dirección al estrado.

Luke y su séquito habían abandonado sus asientos y se dirigían a la salida. Me pregunté si se habría fijado en mí.

—Luke ha estado bastante bien —comentó Billy, quien también se levantó una vez que los pasillos se hubieron vaciado—. Ha estado muy diplomático, para lo que es él.

—Sí, es verdad—coincidí yo.

En el estrado, Allen saludó a Kowalsky y a Brennon con un apretón de manos mientras Myra Burrel seguía sentada a la mesa, tomando notas. Walter Phillips se quedo a un lado, observando cómo los últimos asistentes abandonaban la sala. Aunque el simbolismo tal vez pecara de obvio, podía ser una buena fotografía siempre que el pie de foto huyera de expresiones tan prosaicas como «Solo ante el peligro» o «Atrapado entre dos aguas». Levanté la cámara, enfoqué a Phillips y disparé una y otra vez hasta agotar lo que me quedaba de carrete.

Walter Phillips no se percató de que le estaba fotografiando. Durante la reunión, había dado el aspecto de hombre tímido, incluso acobardado; pero su profesión suele atraer a gente que prefiere la soledad a la multitud. Además, era nuevo en el cargo. Albergué la esperanza de que, al pillarle desprevenido, pudiera captar una fotografía que revelase más información sobre Phillips de la que se había percibido hasta el momento.

—Me marcho —anunció Billy—. Si sigues por aquí mañana por la noche, pásate por la tienda. Randall y Jeff van a tocar. Convenceremos a Margaret para que cante.

Al cabo de unos minutos, todo el mundo se había marchado, con la excepción de Allen, Brennon, Kowalsky y Bryan, quienes se habían sumado a los otros hombres en el estrado. Phillips esperaba para cerrar el local. A la asamblea sólo habían asistido otros tres reporteros y un fotógrafo. Evidentemente, los demás opinaban que la acción de verdad se encontraba en el propio río.

Volví a guardar la cámara en su funda y me encaminé hacia el exterior. El aire era fresco, libre de la humedad de Columbia. Las primeras luciérnagas de la noche emitían sus diminutos destellos mientras revoloteaban por encima de la maleza, una rana toro croó en el riachuelo que discurría a espaldas del centro comunitario y la noche iba inundando el valle como el agua que llena lentamente una bañera.

Luke había estado a punto de ahogarse una noche de junio como aquella. Después de tres días de lluvia, el Tamassee se había convertido en un torrente de aguas pardas; pero Luke se empeñó en recorrer el canal del Oso en su kayak. Nos encontrábamos en la orilla junto a varios miembros de nuestro grupo, todos ellos excelentes piragüistas a quienes no les importaba correr riesgos de vez en cuando. Habíamos estado observando el río desde media tarde, aguardando a que se amainase y regresara a su cauce. Los otros no pensaban adentrarse, y urgieron a Luke para que, al igual que ellos, esperase hasta la mañana siguiente. Pero Luke entró de todas formas y, como era habitual, se negó a ponerse un chaleco salvavidas; solía decir que aquello era hacer trampa.

El hidráulico atrapó el kayak y lo succionó hacia adentro. Momentos después, la embarcación empezó a balancearse como un corcho mientras Luke se encontraba debajo del agua. Aunque daba la impresión de llevar una hora bajo la corriente, no transcurrieron más de tres o cuatro minutos hasta que emergió a la superficie, con la cabeza doblada hacia abajo y las rodillas apretadas contra el pecho, como si hubiera salido despedido de un cañón.

Había hecho lo que se recomienda en tales situaciones: enroscar el cuerpo en una bola para que el hidráulico lo escupa hacia afuera. Mientras Luke salía del agua, el pecho se le agitaba. No parecía asustado; ni siquiera aliviado.

—Creí que ibas a ahogarte —le dije, conforme caminábamos corriente abajo para recuperar el kayak. Yo intentaba imitar la tranquilidad de Luke, pero la voz me temblaba al hablar.

—Estaba perfectamente —aseguró Luke.

Detuvo el paso y se giró hacia mí. La expresión de su rostro denotaba algo más que tranquilidad; se apreciaba una especie de éxtasis, como en los rostros de las pinturas renacentistas. Pensé que tal vez se hallase en estado de conmoción.

—No plegué el cuerpo hasta el último momento —prosiguió—. Una parte de mí deseaba seguir allí. Ese hidráulico era como el centro inmóvil del universo.

El kayak se había estancado en un banco de arena. Luke empezaba a tiritar, de modo que le insté a que se quedara en la orilla mientras yo me adentraba en el agua para recuperar la embarcación.

—Fue como entrar en la eternidad —comentó mientras volvíamos sobre nuestros pasos hacia el canal del Oso—. Los celtas mantenían la creencia de que el agua era un conducto a la otra vida. Tal vez estuvieran en lo cierto.

Aunque Herb Kowalsky no estuviera de acuerdo con la opinión de Luke acerca de dejar a los muertos en el río, este último, al contrario que Kowalsky, había estado en aquel lugar, y para él había supuesto una experiencia maravillosa.

El camión de Joel aún seguía en el aparcamiento. No me sorprendí cuando me llamó. Se encontraba detrás del centro comunitario, a corta distancia del riachuelo. La punta anaranjada de su cigarrillo revoloteaba frente a él a medida que se acercaba hacia mí.

—No me apetecía seguir ahí dentro más tiempo, pero tampoco quería marcharme sin hablar contigo —dijo Joel.

—Me alegro de verte —repuse yo, y le abracé con cierta timidez.

—Probablemente no debería haberle hablado a Kowalsky de esa manera —continuó—, pero desde que llegó aquí no ha dejado de recriminarnos.

—Eso me ha dicho Billy.

—Lo lógico sería que al perder a su hija en el río comprendiera lo peligroso que es nuestro trabajo.

Joel dio una última calada a su cigarrillo.

—¿Cuándo va a volver la tía Margaret? —pregunté.

—Mañana por la tarde.

—¿Os veré a los dos en la tienda de Billy, mañana por la noche?

—Allí estaremos.

Joel arrojó al suelo la colilla y con el tacón de su bota la aplastó contra la grava.

—Más vale que me vaya —indicó—. Si me quedo, me meteré en más líos.

—Nos vemos mañana por la noche —repuse yo.

Joel se subió a su camión y salió del aparcamiento. Durante unos instantes, una parte de mí siguió aquel vehículo, pasando por la tienda de Billy y continuando por la carretera de la iglesia de Damasco hasta aquella granja que yo conocía palmo a palmo, tan bien como la que habitaba mi padre.

—Ven a casa conmigo —solía decirme la tía Margaret casi todos los viernes por la noche—. Estoy harta de tener que bregar con cuatro chicos. Necesito una niña dulce y cariñosa a la que mimar.

La casa en la que vivían ella y mi tío Mark tenía el tejado de hojalata, y las noches que llovía eran mis preferidas. Después de que Ben y yo sufrimos las quemaduras, dormía allí con frecuencia. Me levantaba de mi cama y sin quitarme el pijama, me ponía el abrigo y los zapatos y caminaba los cuatrocientos metros de distancia hasta casa de la tía Margaret. Bajo aquel tejado de hojalata siempre dormía profundamente, y en paz.

Capítulo 4

—Eres una trotamundos —me había dicho la tía Margaret en cierta ocasión—. Lo sé por la forma en la que miras las montañas; quieres saber qué hay al otro lado, y nunca estarás satisfecha hasta que lo averigües.

Yo entonces tenía ocho años, y estábamos recogiendo moras en la ladera este del monte Sassafras. Habíamos llegado temprano, y el rocío nos empapaba los zapatos mientras ascendíamos cuestas tan inclinadas como el tejado de un granero, acarreando relucientes cubos de metal de los que se emplean para ordeñar a las vacas. El sol matinal alumbraba la falda de la montaña mientras las primeras moras producían un sonido metálico al chocar contra las paredes del cubo. Las arañas doradas habían tejido sus telas entre los arbustos, y las gotas de rocío colgaban de los hilos y relucían como diamantes. Los dedos se me teñían de púrpura al tiempo que mi cubo se llenaba lentamente. A medida que las moras iban cayendo una encima de otra, se escuchaba un suave sonido amortiguado. El sol fue empapando poco a poco las últimas gotas de rocío que salpicaban las telarañas, y yo empecé a sudar bajo la camisa de franela de manga larga del tío Mark. El brazo me dolía a causa del peso del cubo; la fina asa de metal se me clavaba en la palma de la mano y me dejaba señal. Me senté en un hueco entre los arbustos y dirigí la vista al monte de Licklog, más allá de Tamassee. Mi tía se acercó y se colocó de pie junto a mí. Mientras hablaba, me iba apartando ramitas y restos de hojas del cabello.

La tía Margaret acertó en su profecía, pues primero la universidad y luego, cada nuevo empleo, me fueron distanciando de las montañas en mayor medida. En primer lugar, Clemson; después, Laurens; ahora, Columbia. Hasta este último traslado no identifiqué una migración constante hacia el Este en dirección a Charleston, hacia un lugar donde yo pudiera mirar por la ventana de mi oficina y ver el océano Atlántico, en lugar de montañas.

Pero ahora había vuelto, al menos por poco tiempo, y recorría la misma carretera por la que aquella mañana regresamos del monte Sassafras. La tía Margaret conducía y yo sujetaba los cubos rebosantes para evitar que las moras se derramasen.

Dirigí la vista a Allen y supe que su mente ya estaba trabajando, planeando la entrada del artículo o imaginando nuevas preguntas que formular a Brennon o Phillips.

—Van a reunirse en el acantilado del Lobo mañana a las 11.00 —comentó cuando accedimos al aparcamiento del motel. Se bajó del coche y yo me deslicé hasta el asiento del conductor. Tras cerrar la puerta, se inclinó hacia la ventanilla—. Brennon va a examinar la zona donde quiere instalar el dique. Phillips y Kowalsky le acompañarán, de manera que tendré ocasión de hablar a fondo con los tres. Quizá puedas hacer unas cuantas fotos interesantes.

—Supongo que sí —respondí yo.

—Kowalsky me dijo que podían llevarme, pero respondí que iría contigo; conoces el camino de sobra.

—Vendré a las 9.00 —anuncié.

—Perfecto. Te esperaré en el vestíbulo.

Allen dio un paso hacia atrás, pero de todas formas me decidí a decirle lo que tenía en mente.

—Parece que Kowalsky se está volcando para ponerte las cosas más fáciles.

—Hasta ahora, sí.

—¿Es admirador tuyo?

—No, que yo sepa. Dice que Hudson se puso en contacto con él y le comunicó que yo cubriría la historia. —Allen hizo una pausa—: También le dijo que yo sería más comprensivo que otros reporteros por lo que les ocurrió a mi mujer y a mi hija.

Se giró en redondo y se alejó antes de que yo tuviera tiempo de responder. Miró hacia atrás, levantó la mano y luego se marchó hacia su habitación.

Salí del aparcamiento, pasé de largo por la tienda de Billy y torcí a la derecha por la carretera de la iglesia de Damasco. Las pocas casas que fui dejando a un lado, entre ellas la de mi tía Margaret, estaban a oscuras. Tracé la última curva y luego giré a la derecha por el maltrecho buzón de correos con el apellido GLENN pintado a mano a uno de los laterales. A medida que el coche se acercaba a la casa, la grava crujía y se desplazaba bajo los neumáticos. No había luz alguna en el porche que iluminase los escalones, y la luna palidecía; pero el cielo ya estaba cuajado de estrellas, mucho más brillantes que las de Columbia. También parecían estar más cerca, como si alguien las hubiera ido recogiendo de una en una y, después de sacarles brillo, las hubiera colocado a menos distancia de la Tierra. Llamé a la puerta, pero no se encendió ninguna luz, por lo que volví a llamar con más insistencia hasta que los nudillos se me resintieron. Por fin, se encendió la luz del dormitorio principal. Escuché un movimiento que se acercaba a la puerta, y luego el sonido del cerrojo.

Mi padre dio un paso atrás para dejarme entrar. Llevaba un pijama verde que probablemente no se había lavado desde hacía semanas. Sus ojos se veían opacos y desenfocados. No registraron sorpresa, aunque yo no le había anunciado mi llegada.

—¿Cuánto tiempo has estado llamando?

Coloqué mi maleta junto a la chimenea.

—Un rato.

—Esa medicina que me han dado los médicos me deja atontado. Si hubiera estado en la habitación del fondo, aún seguiría durmiendo.

Se frotó los ojos con los nudillos, de la manera que lo haría un niño soñoliento.

—Vuelve a la cama —le insté yo—. Me las arreglaré.

—Haré un poco de café —dijo—. Me ayudará a despertarme.

—No hace falta. En cuanto deshaga el equipaje, yo también me iré a dormir.

Albergué la esperanza de que el medicamento le hubiera dejado demasiado aturdido como para discutir. De esa manera, no tendríamos oportunidad de arremeter el uno contra el otro y yo podría conciliar el sueño durante toda la noche. Me incliné para recoger la maleta y trasladarla a la habitación del fondo.

—Acabas de llegar —protestó él—. No está bien que te vayas a la cama sin que apenas hayamos cruzado palabra.

—Es tarde, papá. Estoy cansada del viaje. Tú también estás cansado. Podemos hablar por la mañana.

—De acuerdo —cedió. El tono altanero había desaparecido de su voz—. Haré el café cuando nos levantemos.

Nos quedamos allí, mirándonos mutuamente, manteniendo las distancias. No nos habíamos besado ni abrazado, y yo sabía que no lo haríamos. Me vino a la memoria cómo mi padre solía acercar una silla a la cama de mi madre aquellos últimos días. Se quedaba sentado a su lado durante seis horas sin levantarse ni una sola vez, pero jamás cogía a su mujer de la mano ni le daba un beso en la frente.

—Tu padre oculta en su interior sus sentimientos hacia la gente. De niño también era así —solía decir la tía Margaret—. Y tu madre lo sabe. —Pero yo me había preguntado entonces, al igual que ahora, de qué sirve el amor si no puede ser expresado.

—Buenas noches —dije.

Atravesé la cocina en dirección a la habitación del fondo, dejando a un lado el dormitorio de Ben. Sabía que si me detenía y encendía la luz, encontraría el cuarto de mi hermano en las mismas condiciones que quince años atrás: una estantería repleta de libros de bolsillo y revistas de pesca; un par de cañas de pescar apoyadas en un rincón; una cómoda con cajones. Ningún espejo.

Al despertarme, me embargaron los recuerdos. Contemplé el papel de flores amarillas con el que yo misma había cubierto la pared cuando estaba en noveno curso, el póster que había comprado en un concierto de Ricky Scaggs, el espejo de tocador donde mi madre y yo habíamos contemplado mi vestido la noche de mi baile de graduación. Y la cama en la que me encontraba, la misma en la que mi madre había muerto durante mi primer año en la universidad.

Aquella primavera, el tocador estaba atestado de botes de medicinas, y bajo la mesilla de noche había un orinal. Cada vez que yo incorporaba a mi madre, en el colchón y la almohada permanecían las huellas de su cuerpo y su cabeza. La habitación resultaba oscura aunque las cortinas estuvieran retiradas al máximo, y por mucho que la tía Margaret y yo abriéramos la ventana o limpiáramos la habitación, el ambiente seguía rancio y malsano como el de un sótano donde se almacenan tubérculos.

Aquellos fines de semana yo dormía en el sofá. Los viernes, Ben iba en el camión a Clemson para recogerme, y volvía a llevarme al campus los domingos por la noche. Mis notas de curso bajaron aquel semestre, y estuve a punto de perder la beca.

Los sábados me quedaba con mi madre mientras mi padre y Ben plantaban la cosecha de primavera. Aunque nunca me lo decía directamente, mi madre me daba a entender que contaba con que yo arreglara las cosas entre Ben y yo y nuestro padre; que la responsabilidad era mía, mía únicamente. «¿Por qué he de ser yo quien perdone? ¿Cómo esperas que yo haga lo que tú has sido incapaz de hacer?», sentía deseos de decirle. Pero no podía hablarle de esa manera cuando estaba allí tumbada, muriéndose.

Los ratos en que no estaba atendiendo a mi madre, me dedicaba a limpiar la casa y a preparar el almuerzo y la cena. Los domingos, después de ir a la iglesia, la tía Margaret enviaba a Joel a nuestra casa con cazuelas de loza amarilla llenas de pollo asado, judías verdes y arroz. Para entonces mi madre se encontraba demasiado débil como para sentarse con nosotros a comer. Mi padre solía bendecir la mesa con una breve oración, y por lo general no se volvía a pronunciar palabra durante el resto de la comida.

Ahora mi padre se estaba muriendo en aquella misma casa.

Me levanté y me encaminé a la cocina. Más recuerdos: mi madre horneando pasteles para Navidad; mis torpes intentos por cocinar para ella, mi padre y Ben; el *Almanaque del granjero*, que predecía la llegada de la nieve con meses de antelación. Y, claro está, la imagen que invariablemente me venía a la memoria al entrar en la cocina: la olla en la que hervían judías, y la mano de mi hermano acercándose al asa.

El olor a café no despertó a mi padre, de manera que me serví una taza y regresé al dormitorio. Coloqué el ordenador portátil sobre la cama y lo enchufé a la clavija del teléfono. Tecleé el nombre de Allen y aparecieron unas cuarenta mil referencias; luego, estreché la búsqueda. Algunas de las reseñas mencionaban su nombre de pasada, otras reproducían artículos suyos, y finalmente encontré varias entrevistas y un perfil del personaje publicado por *Newsweek*. La información revelaba, entre otras cosas, que Allen había pasado largos periodos como reportero en Belfast, Kosovo y Camboya, además de en Ruanda.

Me llamó la atención un comentario hecho por él en una entrevista con el *Atlanta Journal-Constitution*. Trataban el tema de las limitaciones del periodismo gráfico. «Siempre hay más de lo que refleja la realidad mecánica y encuadrada de una cámara fotográfica», afirmaba. «Una fotografía carece de voz. Ni el tema ni el autor pueden explicar la injusticia o el sufrimiento, situarlos en su contexto. Ésa es la labor del hombre o la mujer que utilizan la herramienta humana del lenguaje.»

Se trataba de una afirmación elocuente, si bien un tanto altisonante. No me convenció.

Seguí buscando lo que de veras me interesaba, y no me detuve hasta que el rostro de Claire Pritchard-Hemphill apareció en la pantalla. Al examinar el encabezamiento del artículo entendí al instante las razones de Kowalsky para mostrarse solícito con Allen, y también el porqué éste aún llevaba puesta su alianza de boda.

Claire Pritchard-Hemphill tenía el cabello más largo que la mayoría de las madres de treinta y cuatro años; su melena castaña le caía en cascada mas abajo de los hombros; no era un corte de pelo propio de una devota ama de casa. Parecía una mujer segura de sí misma, de la clase que ejerce el papel de esposa y madre y al mismo tiempo, se enfunda un traje de chaqueta oscuro y hace valer su opinión en una sala de juntas. Sus labios eran carnosos y sensuales y sus ojos, tan oscuros como su cabello. Mostraba una ligera sonrisa, una sonrisa íntima que sus ojos daban a entender tanto como sus labios. «Profesora universitaria muere junto a su hija en accidente de tráfico», rezaba el pie de foto.

«Claire Pritchard-Hemphill, de 34 años de edad, murió la tarde del pasado viernes en el Hospital Universitario de Georgetown. Pritchard-Hemphill impartía clases de Ciencia Política en la Universidad Community College de Virginia del Norte. Su hija, Miranda Kay Hemphill, de 9 años, también perdió la vida en el accidente ocurrido en el bulevar de George Washington a las 14.40 del viernes. Ningún otro vehículo se vio implicado en el suceso. Fuentes de la policía apuntan a la fuerte tormenta como posible causa. La fallecida estaba casada con Allen Hemphill, periodista del *Washington Post.*»

Introduje el nombre de Claire Pritchard-Hemphill en el buscador y encontré otra nota necrológica. Nacida en Landover (Maryland), licenciada y postgraduada en Letras por la Universidad de Maryland, dejaba marido así como ambos padres y una hermana. Encabezaba la nota una fotografía diferente, más informal, en la que aparecía con su hija Miranda. Ambas juntaban los rostros y sonreían a la cámara. La pequeña había heredado el cabello oscuro de su madre, pero sus rasgos faciales eran los del padre. Parecía feliz y confiada. Por la manera en que se apoyaba contra su madre, se apreciaba que era una niña cariñosa, la clase de niña que las mañanas de sábado y domingo se metería en la cama de sus padres, que los días de diario les abrazaría y besaría antes de marcharse al colegio. Me pregunté si Allen habría tomado aquella fotografía, si él había sido la persona a la que ambas sonreían.

Estaba yo contemplando la fotografía cuando mi padre llamó a la puerta.

—Me pareció oírte levantada y rondando por la casa —dijo.

Vestía pantalones de pana con rodilleras que le hacían bolsas alrededor de sus escuálidas caderas y camiseta de algodón, por cuyo cuello en pico sobresalían blancos mechones que le brotaban del pecho hundido. El médico le había comentado a Ben que nuestro padre había perdido veinticinco kilos.

—Tengo cereales en la despensa —dijo—. Es casi lo único que me dejan tomar ahora para desayunar. Si hubiera sabido que venías, habría comprado huevos y beicon.

Entró en la habitación y se quedó de pie junto a la cama.

—Los cereales están bien —repuse yo, y salí de la pantalla.

—Maggie, deberías haberme dicho que ibas a venir.

—Ni yo misma lo supe hasta el último minuto —contesté, intentando sin éxito no parecer irritada.

«Ya empezábamos otra vez», pensé yo. «Siempre capaces de encontrar algo que echarnos en cara.»

—He hecho café —comenté, recogiendo mi taza y pasando por su lado—. Te serviré uno.

Mi padre estaba sentado a la mesa mientras yo le servía el café y rellenaba mi taza. Enrosqué los dedos alrededor de ambas asas y también levanté el azucarero de la encimera.

—Te vas a quemar —advirtió mi padre.

Le clavé una mirada furiosa mientras depositaba el azucarero y la taza, y luego tomé asiento al otro lado de la mesa. Entre nosotros se encontraban los molinillos de sal y pimienta que la tía Margaret había regalado a mi madre, junto a un servilletero que Ben había fabricado en la clase de Manualidades del colegio.

—Ya veo que te has comprado un coche nuevo.

—No —respondí—, es propiedad del periódico. Ayudé a cubrir la asamblea de anoche sobre la niña ahogada.

Mi padre se sirvió azúcar, removió el café y dio un sorbo indeciso antes de servirse otra cucharada.

—¿Sacaron algo en claro en la asamblea?

—Se pasaron la mayor parte del tiempo enfrentándose unos a otros.

—Deberían hacer lo que en los viejos tiempos —opinó mi padre—. Arrojar un cartucho de dinamita al río y acabar con el asunto de una vez por todas.

—Eso dijo Harley Winchester.

—Claro, porque funciona, y apuesto a que mucho mejor que cualquier disparatado proyecto para construir un dique provisional. —Negó con la cabeza—: Siempre hay alguien que viene a decirnos cómo tenemos que hacer las cosas: desde los árboles que podemos talar hasta si un hombre puede o no instalar una caravana en sus propias tierras. No se dan cuenta de que nos iba estupendamente hasta que se plantaron aquí con sus malditos consejos.

Mi padre esperó a que yo respondiera. No lo hice. Dio otro sorbo de café y miró por la ventana hacia la puerta del granero, donde aguardaba la vaca.

—Joel llega tarde hoy, y a la vaca no le gusta. —Mientras hablaba, seguía mirando por la ventana—: Imagino que estuvo en la asamblea.

—Sí, aunque dudo que vuelva a asistir a otra. Joel y el padre de la niña se enzarzaron en una discusión.

—No me sorprende. Ese tipo ha estado acosándole a él y a los mellizos, diciendo que no se esforzaban lo suficiente, cuando son ellos los que arriesgan su vida mientras él se queda a salvo, en la orilla. ¿Te has enterado de lo que le pasó a Randy?

—No.

—Estaba usando una cámara submarina y se acercó demasiado al hidráulico. La fuerza de la corriente le arrancó las gafas de bucear. Tuvo suerte de que la cosa no fuera a mayores.

Mi padre volvió a mirar por la ventana. Siempre se había sentido orgulloso del aspecto de su granja: las hileras de cultivo tan derechas que daba la impresión de que se hubieran marcado con una plomada; las balas de heno apiladas en el desván del granero con la precisión de los ladrillos de una pared. Ahora, lo único que veía era la cerca de alambre de espino a falta de reparación; el tejado del granero, oscurecido por el óxido; el camión para transportar madera, con las llantas deshinchadas y podridas. Nada crecía ya en los campos, salvo arbustos de malvavisco, y el estanque albergaba más cantidad de cieno que de agua. Mi padre se estaba muriendo, y su granja moría con él.

Se rascó la pelusa blanca que le crecía en el mentón. Al igual que siempre había mantenido su granja pulcra, se había preocupado por su propia apariencia. Se afeitaba todas las mañanas, y cuando regresaba de los campos de cultivo jamás se sentaba a cenar sin antes darse una ducha. Pero eso no parecía importarle ya. Quizá el hecho de abandonarse hacía que las cosas le resultaran más fáciles.

Dio otro sorbo de café, esta vez más prolongado. El líquido le resbaló por la barbilla como si fuera jugo de tabaco.

—No puedo llevar una granja, y apenas soy capaz de tragar —comentó. Se limpió la barbilla con el dorso de la mano—. Si no fuera por la quimioterapia, podría hacer más cosas. Esa basura me va a matar antes que el propio cáncer.

—Si quieres, puedo ordeñarla yo. Aún me acuerdo.

—No, Joel vendrá enseguida. En cuanto acabe sus propias faenas.

Mi padre se quedó mirando los molinillos de sal y pimienta.

—Supongo que Luke Miller estuvo allí anoche.

—Sí.

—Diciendo esas tonterías suyas.

—Expuso su opinión.

Mi padre me miró. Yo sabía que deseaba comentar el asunto, y que posiblemente lo haría. En realidad, no quería hablar de Luke, sino de mi relación con él.

—Dejemos el tema —propuse.

—Hay cosas que necesito decir —replicó él.

Nunca le había visto llorar, ni cuando visitaba a Ben en el hospital, ni cuando murió mi madre. Pero en ese momento parecía al borde de las lágrimas. «Es la medicación», pensé.

—No quiero hablar del asunto —zanjé yo, y me terminé el café de un trago. Siempre podría desayunar en Mama Tilson's.

Me puse de pie, arrimé la silla a la mesa y regresé al dormitorio. Cerré la puerta tras de mí y a toda prisa metí la ropa y los objetos de aseo en la maleta.

No era la primera vez que me marchaba precipitadamente de aquella casa. Llevaba un mes trabajando con Luke cuando le pedí que me dejara quedarme a pasar la noche con él. Estábamos sentados en unas butacas que habíamos sacado al porche de la cabaña; más que sentados, repantigados, pues nuestros cuerpos, sobre todo los brazos, sucumbían a la gravedad después de una jornada descendiendo rápidos y atravesando canales fluviales. Luke se tomó un tiempo para contestar.

—¿Estás segura? —preguntó.

—¿Por qué lo dices?

—Porque vas a disgustar a tu padre, y mucho. Ya ha tenido un año bastante difícil con la muerte de tu madre.

Las palabras de Luke me sorprendieron.

—No le tendrás miedo, ¿verdad? —pregunté.

—No —respondió Luke—, pero esto va a cambiar las cosas entre vosotros dos.

Me eché a reír.

—Bueno, pues puede que sea para bien, porque peor no podríamos llevarnos. Si algo cambiara entre nosotros, sólo podría ser una ventaja.

Dos días antes había sido mi cumpleaños, y así se lo recordé a Luke.

—Tengo veintiún años —precisé—. Ahora tomo mis propias decisiones.

De modo que aquella noche Luke no me llevó por la carretera de la iglesia de Damasco hasta la casa de mi padre. No dormí bien, tal vez porque no estaba acostumbrada a compartir cama con nadie, acaso porque mi determinación se iba debilitando. Por fin, me levanté y consulté el reloj. Eran las 3.00 de la madrugada. No era demasiado tarde. Podría despertar a Luke y pedirle que me llevara a casa. Mi padre me regañaría por llegar tan tarde, pero yo estaría allí antes del amanecer, y eso era lo que importaba. Él lo tomaría como una señal de respeto, un reconocimiento de dónde se hallaba mi hogar.

Pero no lo hice. En cambio, encendí la lámpara y estuve leyendo hasta que la vista se me nubló. Sólo entonces logré conciliar el sueño. Al despertarme, la luz entraba por la ventana trasera de la cabaña y alguien llamaba a la puerta.

—Es mi padre —le dije a Luke.

Luke se incorporó a un lado de la cama y alargó el brazo para coger unos pantalones cortos y una camiseta.

Le agarré del brazo.

—Ve a abrir la puerta.

Luke se quedó mirándome, esperando una explicación.

—No te pongas la ropa.

—Claro que voy a ponérmela —respondió, liberando el brazo de un tirón. Se enfundó los pantalones y la camiseta. Luego, cruzó el suelo de tablas de madera grisáceas y rugosas y abrió la puerta. Mi padre se quedó mirándole y después dirigió la vista hacia la cama, donde yo me encontraba.

—He recogido tus cosas. Están en el porche delantero —anunció. Su tono de voz era suave, lo que resultaba más inquietante que la cólera y la arrogancia que yo había esperado.

Entonces, volvió a mirar a Luke y se dirigió a él con voz aún baja, pero tan cortante como el filo de una guadaña.

—Si pensara que serviría de algo, te daría una paliza de muerte, cabrón.

No volví a dormir en casa de mi padre hasta Navidad, cuando Ben le suplicó que me permitiera regresar, y a mí me suplicó que aceptara. Sólo me quedé dos noches, y desde entonces mis visitas habían sido incluso más breves.

Entré en la sala de estar. Mi padre estaba de pie junto a la puerta. Casi toda su vida había pesado más de cien kilos, pero ahora la aguja de una báscula de baño no habría pasado de setenta y cinco. La ropa le colgaba del cuerpo como a un espantapájaros.

—Tengo que irme —dije, e intenté salir por la puerta. Alargó la mano y me sujetó del brazo. Aún quedaba suficiente fuerza en aquella mano para detenerme unos instantes.

—El día que me enteré de que esa niña se había ahogado tuve una pesadilla —musitó mi padre—. Soñé que yo miraba el río y su rostro me devolvía la mirada. El agua estaba clara y tranquila, y yo distinguía cada rasgo de su cara como si fuera un cuadro detrás de un cristal.

Di un tirón para soltar el brazo y mientras salía de la casa la maleta le golpeó la pierna. Le di la espalda mientras él seguía hablando.

—Pero no era la cara de esa niña la que vi en el agua, Maggie. Era la tuya.

El acantilado del Lobo es un lugar en el que la naturaleza parece haber puesto todo su empeño para que los humanos se sientan insignificantes. El acantilado en sí es una pared de granito de sesenta metros de altura que descuella sobre el barranco. Una fisura atraviesa su fachada gris como un rayo negro incrustado en la piedra. En aquel tramo, el río se estrecha y se hace más profundo. Incluso el agua, que parece mansa, en realidad se mueve a toda velocidad y resulta peligrosa. En medio de la corriente, cincuenta metros antes de la cascada de agua, un haya del grosor de un poste telefónico se balancea como una pasarela sobre dos peñascos de la altura de un almiar. Una crecida de primavera colocó el árbol en esa posición doce años atrás.

La cascada fluye entre dos rocas que únicamente distan dos metros y medio entre sí, y cae sobre un remanso lo bastante grande y profundo como para cubrir una vivienda de pequeño tamaño. La roca que hay a la izquierda de la cascada se inclina hacia el remanso. Podría haber sido un excelente trampolín desde donde lanzarse al agua, sólo que la corriente subterránea forma un hidráulico y, detrás de éste, existe una profunda incisión en la roca, donde el cadáver de Ruth Kowalsky se encontraba suspendido entre el cielo y la tierra.

A seis metros corriente arriba, Ronny y Randy medían la profundidad del agua y buscaban lecho de roca donde poder anclar el dique de poliuretano de Brennon. Trabajaban solos, con la excepción de algunas personas situadas en la orilla que sujetaban las cuerdas que los mellizos llevaban atadas a la cintura. Joel y los demás miembros de la Patrulla de Búsqueda y Rescate de Tamassee se habían negado a prestar su ayuda. Algunos vecinos de la zona estaban sentados en las piedras situadas por debajo de la caída de agua, pero pronto se aburrieron y optaron por marcharse.

Brennon, Kowalsky y Phillips formaban grupo en la orilla; por la forma en que los dos primeros sujetaban las cuerdas delante de ellos se diría que estuvieran pescando. Una mujer del *Oconee Tribune* les acompañaba, y un reportero del *Greeenville News* se hallaba a unos metros de distancia, aguardando su turno. En la margen de enfrente, un periodista y un fotógrafo del *Atlanta Journal-Constitution* permanecían de pie con aspecto desamparado, como náufragos; habían llegado por la frontera de Georgia. El periodista estaba situado a treinta metros de las personas con las que quería hablar, pero para el caso podría haber estado a más de un kilómetro. A gritos, había intentado formular varias preguntas a Phillips, pero el rugido de las aguas hacía que sus palabras resultaran ininteligibles. Por fin, se dio por vencido y se puso a examinar un mapa del Servicio Forestal.

El fotógrafo se acercó al borde del río y empezó a disparar. Al igual que un gran número de reporteros gráficos, sobre todo los contratados por periódicos de gran tirada, se había pasado a la cámara digital. Lee llevaba tiempo insistiendo en que yo también diera el paso, me animaba a que aprendiera a manejar el programa informático Photoshop. Como yo me resistía, Lee aprovechaba mi reticencia para bromear sobre las anticuadas costumbres de los habitantes de los Apalaches y nuestra supuesta nostalgia de los viejos tiempos, en los que aún se construían letrinas en el patio trasero y se empleaban lámparas de aceite.

Pero mi reserva ante las cámaras digitales era una cuestión de estética. Al tomar una fotografía, no deseaba el silencio propio de la alta tecnología; me gustaba el chasquido mecánico, la manera en que sonaba como si se cerrase una trampa una vez capturada la presa. Me gustaba que el proceso fuera visceral.

—Preferiría hablar con esos tipos sin que hubiera nadie más alrededor —dijo Allen—, pero creo que me acercaré de todas formas para enterarme de la conversación.

—Yo voy a sentarme —repuse.

—Vendré a acompañarte dentro de un rato —dijo Allen.

Caminé unos veinte metros más allá de la caída de agua y encontré un pedazo alargado de madera de deriva que el río había arrojado a la orilla. Me senté y cerré los ojos. Los expertos afirmaban que en la actualidad, la calidad del aire en aquellas montañas era tan deficiente como en cualquier otra parte del estado de Oconne, sólo había que elevar la mirada a las cumbres más altas y contemplar las hojas marrones de los pinsapos y los abetos: la lluvia ácida que había matado aquellas coníferas también había caído sobre las aguas del Tamassee.

Pero al respirar profundamente me costó creer que pudiera existir un lugar más puro en todo el planeta.

Durante mi infancia, incluso después de comprarse una lavadora, la tía Margaret llevaba sus edredones al río al llegar la primavera. Con el agua hasta las rodillas, hacía desaparecer la suciedad acumulada durante el invierno frotándolos con jabón casero y enjuagándolos con la corriente, lo que aportaba a la ropa de cama una luminosidad y un olor a fresco imposibles de obtener de ninguna otra manera. Las noches que mi tía me arropaba con uno de sus edredones, me pedía que escuchara con atención: si guardaba el silencio necesario, podría oír el sonido del río fluyendo entre las capas de algodón.

Abrí los ojos y miré a unos veinte metros corriente arriba, donde el cuerpo de Ruth Kowalsky yacía bajo el paño mortuorio formado por las aguas. Más allá, Allen hablaba con el periodista del *Greenville News*. Levantó la mano para señalar la cascada, y el sol matinal hizo brillar el oro de su alianza de boda.

Volví la mirada hacia el remanso que custodiaba el cadáver de la niña. ¿Qué sentiría Allen, quien había perdido a su propia hija, al encontrarse en aquel acantilado? El dolor debía ser tan intenso como cuando se abren de un tirón los puntos de sutura de una herida a medio curar.

Yo no me había mostrado muy locuaz en el trayecto desde el motel; Allen tampoco habló mucho, pues sin duda se estaba preparando para la situación que se veía obligado a afrontar. Cuando me preguntó qué tal me había ido con mi padre, le contesté que más o menos como siempre, y lo dejamos ahí.

Fuimos los primeros en llegar. A medida que nos adentrábamos en el barranco, los últimos vestigios de bruma matinal se nos enroscaban en los pies. A ambos lados del sendero crecían varias clases de setas, entre otras, la cicuta verde. El sol no había acabado de salir en el acantilado del Lobo, y el dosel formado por robles y nogales restaba brillo a la luz que se filtraba entre las ramas. «Me recuerda al bosque encantado de un siniestro cuentos de hadas», reflexioné mientras proseguíamos camino hacia el lugar donde la niña muerta aguardaba.

A las diez y media Luke y la chica rubia aparecieron corriente arriba. Vararon la canoa en la margen de Georgia, veinte metros antes de donde se afanaban Ronny y Randy. Luke y su acompañante tomaron asiento en la orilla. No hablaban gran cosa. Habían venido a custodiar el río.

Pasado un rato, la reportera del periódico del condado de Oconne se guardó un bloc de notas en el bolsillo posterior de los pantalones vaqueros y empezó a ascender el sendero, dejando al enviado del *Greenville News* a solas con Phillips y Kowalsky. Brennon se mantenía de pie, apartado de ellos, lápiz y cuaderno de espiral en mano. Mientras tanto, Ronny y Randy seguían vadeando la corriente de arriba abajo, de una orilla a otra. Avanzaban lentamente, con la cabeza gacha y los ojos a pocos centímetros de la superficie mientras clavaban varas de medir en el agua como si de lanzas se tratara.

A gritos, comunicaban índices de profundidad y emplazamientos de lechos de roca a Brennon, que anotaba los datos. Tomé varias fotografías de los mellizos mientras trabajaban, y otras cuantas más de la caída de agua.

—Todo un espectáculo —comentó Allen, que se acercó y se quedó de pie a mi lado.

—Sí —coincidí yo—, y eso que aún no ha ocurrido nada, al menos, oficialmente.

Allen señaló con la cabeza al reportero del *Greenville News*.

—Ese tipo dice que va a incluir la noticia en primera plana. Incluso van a realizar una encuesta sobre si se debe permitir o no la construcción del dique.

—Eso es llevar las cosas demasiado lejos.

—Sí, estoy de acuerdo.

El reportero del *Greenville News* se marchó. Allen fue caminando río arriba para unirse a Brennon y Kowalsky y, mientras tanto, yo volví a sentarme en el pedazo de madera de deriva. Una mariposa amarilla se posó unos instantes en una roca cercana; sus alas se abrían y cerraban como si aplaudiera con parsimonia. Los mosquitos me revoloteaban por la cara. El sol se hallaba ahora en lo más alto, y emitía su resplandor hacia abajo, como si lo lanzara a un hondo pozo. En las zonas menos profundas del río se apreciaban destellos de mica y, probablemente, también de oro. Hubo una época en la que los habitantes de la zona recorrían el Tamassee con una batea, pero ahora la búsqueda de metales preciosos era ilegal debido al estatus de Río Salvaje y Paisajístico. Un aguilucho volaba en círculos en lo alto; no se trataba de un gallinazo, sino de una rapaz más pequeña y de color negro. Una vez Luke me había contado que pueden oler un cadáver a una distancia de casi diez kilómetros.

Como Allen, yo también tenía preguntas; pero deseaba formulárselas a él, y no a Brennon, Kowalsky o Phillips. Sin embargo, no era el momento acertado. Allí la muerte se encontraba demasiado cerca; emergía a la superficie y se adhería al cielo y al agua.

Me pregunté si Lee había estado informado sobre el accidente de la mujer y la hija de Allen y, de ser así, por qué no me lo había comunicado. Incluso aunque Lee no hubiera estado al tanto, Hudson sí lo estaba. Yo nunca había tomado a Hudson por un hombre particularmente sensible, pero enviar a cubrir aquella historia a un reportero que había perdido a su propia hija me parecía algo más que una mera falta de sensibilidad. Era una crueldad.

Di un último manotazo a los mosquitos y luego ascendí por un sendero que se había ensanchado significativamente durante la semana anterior. Una vez que hube recorrido cincuenta metros, giré a la derecha por una arboleda de robles rojos. Enseguida, los farallones de granito reemplazaron a los árboles y al suelo de tierra. Fui avanzando con cuidado entre los peñascos, lugares perfectos para que las serpientes de cascabel tomaran el sol. Al cabo de unos minutos, la cara izquierda del acantilado del Lobo descollaba directamente sobre mí, y me encontré frente a la cueva que Ben y yo habíamos descubierto veinte años atrás.

No penetramos el mismo día que la descubrimos. La entrada era estrecha, y quedaba prácticamente oculta. Ben y yo queríamos ver si el túnel se ensanchaba antes de arriesgarnos a introducirnos por la angosta boca de la cueva con los pies por delante. Regresamos la tarde siguiente, una vez que hubimos sacado a hurtadillas de la casa la linterna de mi padre, que yo escondí en el bolsillo posterior de mis vaqueros cortados. Dejamos las bicicletas en el puente y bajamos caminando por el sendero del río hacia el acantilado del Lobo.

Yo me introduje en primer lugar, y conseguí ponerme en pie unos metros más allá. Ayudé a Ben a entrar, y luego fui enfocando el haz de luz de la linterna por delante de mis pies, de la misma manera en la que una persona ciega emplearía su bastón. El ambiente era frío y húmedo, como el de una fresquera colocada sobre un riachuelo. Relucientes salamandras negras huían fugazmente de la luz, y desde algún lugar llegaba el goteo de agua. Seguimos nuestro camino hasta que la cueva se ensanchaba por última vez hasta alcanzar el tamaño de una habitación. En el centro, un cúmulo de cenizas tiznaba el suelo.

—Alguien ha estado aquí —le dije a Ben—. Pero, ¿a quién se le ocurre acampar al fondo de una vieja gruta llena de moho?

Recorrí la cámara con la luz de la linterna, y luego examiné las paredes.

—¿Qué pasa? —preguntó Ben.

Deslicé la luz lentamente por una figura humana con los brazos alzados, realizada toscamente con palos.

—Puede que los cherokees la dejaran aquí —aventuré—. Debe de ser una especie de señal.

—Pero, ¿qué significado tiene?

Examiné la figura más atentamente, sobre todo el inexpresivo semblante que, al igual que los brazos, se elevaba hacia arriba.

—Puede que alguien estuviera sufriendo y ésta fuera su manera de rezar pidiendo ayuda.

—Sí —respondió Ben, y alargó el dedo índice para tocar la figura.

El hecho de saber que otras personas que habían muerto siglos atrás habían estado allí mismo me hizo sentirme incómoda. Nunca regresé, pero Ben volvió muchas veces aquel verano. A la hora de la cena, yo bajaba caminando por el sendero y luego trepaba hasta la entrada de la cueva. Llamaba a mi hermano y él acudía enseguida, protegiéndose los ojos al volver a salir a la luz.

Me alejé de aquella entrada y me encaminé de vuelta al río, hacia el lugar donde había dejado el pedazo de madera de deriva. Allen seguía hablando con Phillips y Kowalsky; yo no acertaba a escuchar sus palabras. Luke y la chica estaban sentados en la otra orilla, pero él ya no miraba a Ronny o a Randy. Me miraba directamente a mí.

Se había desvestido de cintura para arriba y llevaba unos pantalones cortos de nailon azul. Había ensanchado de cintura, pero sus extremidades seguían manteniendo abultados músculos debido a la práctica del remo y el senderismo. Le dijo algo a la chica y después empezó a caminar río abajo. Descendió por la orilla con aire vacilante, cruzó el agua a nado y luego subió a pulso a la losa de piedra. Reconocí el lunar en su pectoral derecho y la alargada cicatriz púrpura que tenía justo debajo, donde un árbol sumergido le había provocado un corte. Otra cicatriz, más pálida y menos visible, señalaba el lugar en el que una roca de río le había aplastado tres costillas.

—¿Aún en nuestro bando? —me preguntó. Sus magulladas rodillas, llenas de vestigios de puntos de sutura procedentes de numerosas roturas de cartílago y ligamentos, chasquearon cuando se sentó junto a mí. Dio un ligero respingo y flexionó la rodilla derecha varias veces como si fuera la bisagra de una cancela que no acaba de cerrarse.

—No sabía que los fotógrafos elegían bando. Las cámaras reflejan la realidad.

Luke se enjugó el agua del rostro con el dorso de la mano.

—No es eso lo que te enseñé, Maggie. Tú sabes que siempre existe más de una realidad.

Cuando nos conocimos, lo primero que me había llamado la atención de Luke fue el color de sus ojos, de un tono intermedio entre verde y azul. Era el color de los remansos más profundos del Tamassee en los días soleados, cuando se miraban desde lo alto de uno de los senderos de montaña; si uno se encontraba abajo, en el río, no era posible percibir esa tonalidad, pero a través del agua se divisaban las rocas y la arena del fondo. Así eran los ojos de Luke. Al mirarlos, daba la impresión de divisar a través de ellos un lugar de absoluta claridad.

—Bueno, pues háblame de esas realidades, Luke —requerí yo, y aparté la mirada.

—Un padre que ha perdido a su hija en un río y no es capaz de aceptarlo. Un empresario que obtiene publicidad gratuita para su producto. Un constructor de viviendas que utiliza el incidente para intentar suavizar las leyes relativas al medio ambiente.

Me sorprendí al comprobar que, de cerca, parecía mucho mayor. No sólo por las arrugas que le surcaban el rostro, ni por el cabello que empezaba a escasear, sino también por la voz. Era como si el río la hubiese ido desgastando como a una roca o a un banco de arena.

—¿Y cuál es tu realidad, Luke? —pregunté.

—El Tamassee. Ésa es la única realidad que importa. Es la ley de la naturaleza y, por cierto, también la federal.

—Hubo un tiempo en el que no parecías tan apasionado por las leyes federales, cuando no te importaba violar la ley, federal o la que fuera, para montar barricadas en los caminos de tala o cultivar plantas de hachís.

—Ahora la ley está en el bando adecuado.

Ronny y Randy salieron del agua. Mientras hablaban con Brennon, se fueron desatando las cuerdas que llevaban a la cintura.

—De modo que Allen Hemphill está cubriendo el asunto.

—Sí, lo más probable es que quiera hablar contigo.

—Muy bien, le explicaré nuestra postura; pero no creo que sirva de mucho. Se hará eco de la versión de Kowalsky, la única persona que a Hemphill le interesa.

—¿Qué te hace pensar eso?

—Porque he leído su libro. Esa propaganda de la contraportada: «Allen Hemphill es un periodista que proyecta su mirada fría sobre la vida y la muerte...», bla, bla, bla. ¡Tonterías! Es un sentimental. En la mayoría de los casos, antes de que el lector termine el libro, Hemphill ha conseguido manipularle hasta hacerle llorar y rechinar los dientes.

—¿Cómo esperas que la gente no se escandalice ante las matanzas de niños?

—Un buen fotógrafo debería conocer la respuesta a esa pregunta.

—Ilústrame, te lo ruego.

—Vosotros empleáis una lente más amplia. Mostráis lo que habría sucedido si esos niños no hubieran sido masacrados. Preguntáis qué resulta más cruel, perder la vida a hachazos en unos segundos o morir lentamente de sida o inanición.

—Tal vez eso también pueda cambiarse.

—Sería hermoso creerlo, pero la historia de la humanidad nos dice lo contrario.

Luke clavó sus ojos en los míos, y en esta ocasión le sostuve la mirada.

—¿Te estás poniendo sentimental conmigo? ¿O acaso te sientes atraída por Hemphill? Me he fijado en la forma en la que te inclinas para captar sus palabras, la manera en la que no dejas de mirar río arriba para comprobar que sigue allí. A mí no me engañas. Te conozco demasiado bien.

—Quizá no sea la misma persona que hace ocho años.

—Yo creo que sí —repuso Luke—. Sólo que ahora lo disimulas mejor.

Miré al otro lado del río, a la compañera de Luke. A su edad, yo no habría quitado ojo a Luke si estuviera hablando con otra mujer; pero la chica se hallaba tumbada boca abajo, leyendo un libro.

—Para responder a tu pregunta, tal vez lo que pasa es que soy capaz de albergar algunas emociones humanas básicas.

—¿De qué emociones humanas básicas me hablas? ¿De la ambición, el odio, el miedo? Por lo que conozco del mundo, son las que suelen predominar.

—Existen otras. El hecho de que tú las desconozcas no significa que otras personas no puedan experimentarlas.

Luke se puso en pie y se pasó los dedos por el cabello.

—Como el amor —dijo—. A eso te refieres, ¿verdad?

—Puede ser.

—Sé más sobre el amor que tú —replicó. No miraba a la chica, sino al Tamassee.

—Un río no es un ser humano, Luke.

—No, es algo mejor. Un ser humano es insignificante en comparación con un río. —Apartó la mirada de la corriente—: Y quizá se trate del amor más puro, Maggie, porque no espero que el río me corresponda. Hubo un tiempo en el que tú entendías estas cosas. —Su voz adquirió un matiz más suave—: Tal vez hayas olvidado que presté un prolongado servicio en el ejército de amantes de la humanidad. Y en primera línea de fuego.

—No lo he olvidado —respondí.

Por las noches, o cuando la intensa lluvia desbordaba el Tamassee e imposibilitaba recorrerlo en balsa, nos quedábamos en la cabaña y nos dedicábamos a leer. Luke había unido con clavos cuatro estanterías. Éstas, atestadas de libros, ocupaban toda la pared del fondo. Luke se jactaba de que él podía instruirme mejor que cualquier universidad. Y tal vez no fuera descaminado, pues las obras que leí con él me afectaron de una manera en la que los textos obligatorios de la facultad jamás lo hicieron.

Mi familia había habitado en el condado de Oconee durante más de doscientos años. Siete generaciones de Glenn habían abierto y cerrado los ojos en aquellas tierras, pero hicieron falta autores como William Bartram y Horace Kephart, nativos de otras partes del país, para que yo descubriera aquello que me había rodeado toda mi vida. Luke también me instruyó acerca del río; me hablaba de los remolinos y el efecto hidráulico, y también de la flora y fauna. Me enseñó que las hojas del laurel de montaña eran brillantes, pero no así las del rododendro. Me demostró cómo en el rastro de los visones se distinguían las pezuñas, mientras que en el de las nutrias sólo se apreciaban las almohadillas de las patas.

También me leía poesía escrita y ambientada en parajes lejanos, como si antes de contemplar mi propio mundo tuviera que ver otro diferente. Es lo que ocurrió cuando escuché que Wordsworth definía los arroyos de montaña como «suaves murmullos que nacen de la tierra». O cuando Hopkins describió «las motas que puntean las truchas del río». En mis clases de Literatura de la Universidad de Clemson yo había disfrutado con la poesía, pero la consideraba como algo exótico. Luke la acercó al mundo que yo conocía.

Después de Bartram y Kephart, Wordsworth y Hopkins, me hizo leer a Edward Abbey, Wendell Berry y Peter Matthiessen para aprender lo efímero que un paraje natural puede llegar a ser.

Y me habló de Biafra.

Según Luke, los ojos de la población local eran lo único que conservaba la vida, la condición humana. Levantar a los nativos en el aire era como volar cometas, porque en eso se habían convertido sus cuerpos: palos de hueso con carne de papel pegada a ellos.

Tras una semana en el campamento de ayuda humanitaria, Luke llegó a la conclusión de que no existía esperanza. El gobierno militar que había tomado el poder trasladó a tres millones de refugiados de la minoría ibo a una región de seis mil kilómetros cuadrados que la guerra había convertido en un erial de viviendas, mercados y hospitales devastados. Algunos de los damnificados llegaban a levantarse de sus catres en el campamento y se marchaban a casa, pero con demasiada frecuencia se veían obligados a regresar. Casi todos morían antes de las veinticuatro horas de su llegada. Nunca escaseaban los sustitutos para ocupar los catres.

Luke había acudido a Biafra para pasar seis meses, pero había permanecido dieciocho.

—Lo suficiente como para ganarme el permiso de ausencia indefinido de cualquier otra obligación para con la humanidad —me dijo una noche en la que una botella de vino le había vuelto más locuaz que de costumbre—. El día que despegué de Owerri, miré por la ventanilla del avión y observé cómo la ciudad desaparecía de mi vista. Ya me encontraba libre para amar o no amar; para ser o no compasivo. Libre para encontrar algo bueno y puro en el mundo, y dedicarme a salvarlo. Eso es todo lo que uno puede hacer.

Ahora, venía a decir lo mismo. Miré al otro lado del río, a una chica un poco más mayor de lo que yo había sido cuando leía los libros de Luke y compartía su cama.

—Siento haberte desilusionado —dije—. Tal vez tengas más suerte con ella.

—Tal vez, sí. Carolyn estudiaba Ingeniería Química cuando la conocí, e iba encaminada a pasar los próximos treinta años a la servidumbre de Dow Chemical. Ahora estudia Derecho Medioambiental.

—De modo que has salvado su alma.

Luke no sonrió.

—Eso es lo que ella dice; y no yo.

—¿Qué le has encargado que lea hoy?

—*Vida salvaje en Norteamérica*, de Matthiessen —respondió Luke—. Uno de tus libros favoritos, si no recuerdo mal.

—¿Cuándo puede Allen hablar contigo?

—A las seis, en Mama Tilson's. Los ecologistas de base carecen de cuenta de gastos, así que él paga. Primero comeremos, y hablaremos después. Quiero que tú vayas también. Me da la impresión de que necesitas ponerte al día sobre lo que está en juego en este momento.

Desvió la mirada hacia Ronny y Randy, que se habían enfundado sus camisetas y botas.

—Parece que han terminado por hoy, así que ya me marcho.

Brennon señaló algo en la margen contraria para que lo viese Phillips mientras Allen y Kowalsky conversaban. Ronny y Randy se despidieron con un gesto de la mano, y luego desaparecieron sendero arriba en dirección a su camión.

—No sé por qué esos dos están ayudando a Kowalsky —comentó Luke—, sobre todo, después de lo de anoche.

—Porque son hombres honrados que tratan de hacer algo bueno. Tienen hijos. Se llama empatía, otra emoción humana básica.

—Ah, ¿sí? Creí que eran tan duros de mollera que no se daban cuenta cuando los insultaban. —Sonrió—: Nos vemos en la cena, Maggie.

Luke se lanzó al agua y cruzó nadando hasta la otra orilla. Carolyn y él se subieron a la canoa y avanzaron por debajo del acantilado del Lobo hasta las aguas tranquilas que terminaban en las cascadas de Five Falls, a menos de un kilómetro corriente abajo.

«Vas a disgustar a tu padre, y mucho», había dicho Luke. Y eso era precisamente lo que yo pretendía, porque el hecho de estar ligada a mi padre era como tener una infección en la pierna que ningún antibiótico podía curar. Yo deseaba amputar la pierna y además, cauterizarla.

Aprendí mucho de Luke aquel verano. Me enseñó a descubrir desde la superficie lo que yacía bajo el agua: los obstáculos y las incisiones en el lecho de roca. Me hizo ver que el Tamassee no era un río, sino muchos, dependiendo de la época del año, la cantidad de lluvia y el índice de visibilidad.

También me enseñó a utilizar una cámara fotográfica, a manipular la velocidad y la luz de obturación, y me demostró que el equilibrio y la perspectiva eran tan importantes en la fotografía como en la pintura. Luke nunca utilizaba carretes de color, a pesar de las frecuentes quejas por parte de los clientes de la agencia de excursiones de Earl Wilkinson. Luke consideraba que sólo en blanco y negro podía verse lo esencial, que el color no era más que un ornamento inútil y una fuente de distracción.

Era un buen maestro. La primavera siguiente, una vez que hube obtenido mi licenciatura en Lengua Inglesa, acepté un empleo en el periódico de Clemson. Escribía artículos, pero la fotografía era lo que se me daba mejor, y gané algunos premios de ámbito local. Cuando me llamaron los del diario de Laurens, buscaban un fotógrafo, y no un escritor.

Ahora observaba cómo Luke y Carolyn se iban empequeñeciendo. Desde el ángulo en que me encontraba, parecía que estuvieran cortados por la mitad; la cabeza, los brazos y el torso se balanceaban sobre la corriente.

Me pregunté si Carolyn poseía el frío cinismo que tantas mujeres de su edad sentían hacia las relaciones de pareja. La manera en la que cogió a Luke de la mano en la asamblea parecía indicar lo contrario. Era algo que yo habría hecho; en realidad, lo había hecho tiempo atrás.

Recordé la noche de principios de agosto que Luke no pasó conmigo en la cabaña, sino en el motel de Tamassee con Janice, la mujer con la que había estado en Florida.

—Creí que sólo éramos tú y yo —le espeté a Luke a la mañana siguiente, en cuanto ella se hubo marchado. Yo había pasado una noche de llanto e insomnio en el sofá, esperando oír el camión de Luke acercándose a casa.

—¿Te he dicho yo eso alguna vez? —protestó Luke. Me colocó un dedo debajo de la barbilla y me obligó a sostener su mirada—. ¿Alguna vez te he pedido que no estés con nadie más que conmigo?

—No —respondí—. Lo que pasa es que creía que estábamos juntos, y que lo estaríamos durante mucho tiempo.

—He sido sincero contigo —alegó él—. Más que tú conmigo. —Apartó el dedo de mi barbilla—: Creo que, en cierto modo, para ti soy una manera de vengarte de tu padre.

—Eso es mentira. No podría haber fingido de esa manera —repliqué yo—. Te quiero. —Me sentí rara al pronunciar esas palabras, porque no recordaba haberlas mencionado nunca, ni siquiera de niña. Ni siquiera a mi madre cuando, metida en mi cama, se iba muriendo.

Luke permaneció en silencio.

—Pero tú no me quieres a mí. ¿La quieres a ella?

—No —respondió él.

Me di la vuelta para empezar a hacer el equipaje, pero Luke tiró de mí y me besó en la boca. Al notar que yo no respondía, me acarició la mejilla con los dedos.

—Ha regresado a Florida, Maggie —dijo Luke—. Tú y yo hemos pasado juntos un buen verano, y aún nos queda tiempo antes de que vuelvas a Clemson.

—¿Volverás a Florida este otoño para estar con ella otra vez?

—No lo sé —admitió—. Estás actuando como si esto fuera un compromiso para toda la vida contigo o con ella. Janice no lo ve de esa manera, ¿por qué tú sí? ¿Por qué no podemos, simplemente, disfrutar del presente?

—No voy a conformarme con eso —concluí.

Me marché aquella tarde y nunca regresé, ni a la cabaña de Luke ni a su cama. Me instalé en casa de la tía Margaret hasta que empezaron las clases en la universidad.

Mientras observaba desaparecer la canoa por el recodo del río, me pregunté si llegaría el día en que

Carolyn aprendiera una lección similar de sinceridad por parte de Luke.

Como aún era el comienzo de la temporada de descenso de rápidos, el primer grupo de balsas de la agencia de excursiones de Earl Wilkinson no apareció hasta pasado el mediodía. Las cuatro embarcaciones iban llenas de muchachos adolescentes, probablemente pertenecientes a algún grupo de iglesia. Earl se hallaba sentado a la popa de la primera de las balsas.

—¡Maggie May, me alegro de verte de nuevo en casa! —gritó Earl, y luego dirigió su atención al río a medida que se lanzaba a la caída de agua del acantilado del Lobo. Me pregunté si Earl les habría advertido a sus clientes por dónde iban a pasar al entrar en aquel tramo.

Unos minutos después, Allen se encaminó a donde yo aguardaba. Si la conversación con Kowalsky le había traído a la mente su propia pérdida, su rostro no lo daba a entender. Parecía impasible, pero decidido.

—Saca la cámara —dijo con tono firme—. Vas a tener la oportunidad de tomar una fotografía buena de verdad.

Saqué la Nikon de la funda mientras Herb Kowalsky atravesaba el río por la zona poco profunda y subía a la losa de piedra detrás de la cual yacía su hija. Se quedó mirando el agua, ahora, en soledad; sin miembros de la patrulla de rescate, ni ecologistas, ni curiosos por los alrededores.

En la fotografía no existe tal cosa como el recuerdo. Si la imagen no se capta en película, no existe. Me llevé la

Nikon al ojo derecho para atrapar ese instante de la vida de Herb Kowalsky. En ese momento, a la parte de mí que enfocaba la lente no le importaba lo más mínimo Herb Kowalsky, su hija, el río o la ley federal. Apreté el obturador una y otra vez hasta agotar el carrete; luego, metí otro rollo a toda velocidad. «Sólo es una cuestión de luz, ángulo y textura», me dije a mí misma. «La influencia que estas fotos tengan sobre mí o sobre otras personas no es una razón. Sólo soy una espectadora, me limito a mostrar lo que ya está ahí.»

Los mosquitos circulaban alrededor de la cabeza de Kowalsky y le vi parpadear varias veces en rápida sucesión. Levantó el dedo índice para apartarse uno de los insectos del ojo derecho, y tomé una última fotografía.

Capítulo 5

—¿Le dijiste a Miller que iba a hablar no tanto con un periodista de primer orden, sino con un flamante experto en la carne a la barbacoa de Carolina? —me preguntó Allen mientras regresábamos en coche por el camino de tala—. Forma parte de tu trabajo convencerle de que soy un tipo genial, para que considere un privilegio encontrarse en mi presencia.

—Demasiado tarde —indiqué yo, haciendo un esfuerzo por imitar el tono festivo de Allen—. Luke ha leído *Vida y muerte en Ruanda*. Dice que eres un sentimental.

Llegamos al final de la carretera. No venía ningún vehículo en ninguna de las direcciones, pero Allen mantuvo el pie en el pedal del freno. Echó una ojeada al espejo retrovisor, como si Luke hubiera pronunciado sus palabras desde el asiento trasero.

—¿A qué se refiere con ese comentario? —preguntó Allen.

«Nunca minusvalores el ego de un periodista», me dije a mí misma. Sobre todo, el de un finalista del Pulitzer.

Repetí lo que Luke había mencionado sobre la lente más amplia que abarcaba el pasado y el probable futuro de los masacrados.

Allen sacudía la cabeza mientras yo hablaba. Cerró los labios con fuerza y los mantuvo en esa posición.

—No tienes por qué molestarte —añadí—. Luke tacha a casi todo el mundo de sentimental.

—No estoy molesto, sólo que me revienta que la gente que nunca ha visto con sus propios ojos esa clase de sufrimiento intente restarle importancia con alguna de esas estrategias positivistas que aprendieron en la clase de Filosofía.

—Pero es que sí lo ha visto —aclaré—. Trabajó año y medio para el Cuerpo de Paz.

—Pero no en África —aventuró Allen.

—Sí; en concreto, en Biafra, o en lo que antes se llamaba así. Estuvo allí en la peor época de las hambrunas.

—Era una situación diferente —replicó Allen con brusquedad.

Levantó el pie del freno, y no sé por qué motivo imaginé que iba a apretar a fondo el acelerador y levantar una estela de polvo al hacer el viraje para acceder desde el camino de tierra a la carretera asfaltada. En cambio, efectuó la maniobra con parsimonia, y se mantuvo en silencio mientras regresábamos al motel.

«De modo que, al fin y al cabo, la pérdida que has sufrido no te ha expiado hasta convertirte en un mártir con su cruz a cuestas», pensé. «Puedes ser tan susceptible, envidioso y engreído como cualquiera de nosotros.»

Y lo que sentí fue alivio, pues desde mi incursión en Internet me costaba imaginarme estableciendo un auténtico vínculo con Allen. Me había formado la imagen de un hombre que había sufrido hasta un punto desconocido para mí aun en mis peores momentos de autocompasión y, sin embargo, no parecía que su desgracia le hubiera convertido en un amargado y, por lo que yo tenía entendido, tampoco se había refugiado en las drogas o el alcohol. De hecho, más bien se presentaba como candidato a la santidad. Pero ahora caía en la cuenta de que seguía siendo humano. Lo bastante humano para que yo, a quien mi propio pasado no había hecho noble ni misericordiosa, pudiera creer que después de todo no éramos tan diferentes uno del otro.

Vi el camión de Luke aparcado delante de Mama Tilson's.

—Luke está esperando —dije. Allen puso el intermitente derecho para acceder al aparcamiento del motel y detuvo el coche a corta distancia de la puerta de su habitación.

—Pues entonces más vale que vayamos a su encuentro —respondió.

—Será mejor que primero tengáis un cara a cara —sugerí yo—. Además, necesito registrarme en el motel. Iré dentro de un rato.

—¿No vas a alojarte en casa de tu padre?

—No. Una noche es más que suficiente.

Allen sacó las llaves del encendido.

—¿Te importa dejármelas? —pregunté—. Mi equipaje está en el maletero.

Allen me entregó las llaves, pero no se bajó del automóvil. Intentó esbozar una sonrisa.

—Siento haberme puesto así, pero es que Miller me ha tocado una fibra.

—No eres el primero. Si sacar de quicio a los demás fuera deporte olímpico, Luke sería medallista de oro.

—El caso es que me gustaría no dar importancia a lo que ha dicho, pero me cuesta trabajo, sobre todo porque él ha estado allí. —Agarró la manilla de la portezuela, aunque no tiró de ella inmediatamente—: Lo que pasa es que me resisto a creer que el mundo es tan poco prometedor.

Deseé con todas mis fuerzas rodear el brazo de Allen con mi mano y apoyar la cabeza en su hombro. Tal vez lo habría hecho si él se hubiera quedado unos segundos más, pero entonces abrió la puerta.

—Nos vemos dentro de un rato —dijo.

Antes de salir de mi habitación del motel, me puse colorete y me pinté los labios, algo que apenas había hecho durante el año anterior. Me apliqué perfume en el interior de las muñecas y en el cuello. Me miré al espejo por última vez y crucé la carretera en dirección a Mama Tilson's.

Allen y Luke estaban sentados en el reservado del fondo. *Mama* Tilson les había retirado los platos y había vuelto a llenar sus tazas de té. La grabadora de bolsillo se encontraba sobre la mesa, a media distancia entre ellos.

—Justo a tiempo para examinar el material de soporte de mi presentación —dijo Luke.

Tomé asiento junto a Allen e hice mi pedido mientras Luke sacaba de un sobre marrón una serie de documentos y fotografías, y deslizaba un fajo de hojas grapadas a través de la mesa.

—Legislación sobre Ríos Salvajes y Paisajísticos —aclaró—. He subrayado los párrafos más relevantes.

Luke entregó a Allen una fotografía en blanco y negro de veinte por veintiocho.

—Por si acaso Maggie no hubiera cumplido con su trabajo. Han ensanchado el sendero para que los periodistas y la Patrulla de Búsqueda y Rescate tengan más fácil acceso. He ahí una evidente violación de la ley federal.

Luke alargó un último documento a través de la mesa.

—Aquí aparece el nivel de lodo del arroyo de Licklog desde que Bryan construyó su urbanización. Hace tres años, en ese arroyo había truchas reproductoras. Ahora tendríais suerte de encontrar una carpa.

—¿Por qué no le denunciaste? —preguntó Allen.

Luke me miró y negó con la cabeza. A pesar de la conversación que habíamos mantenido en el río, a pesar de lo que había ocurrido ocho veranos atrás, Luke seguía creyendo que yo estaba de su parte. Me pregunté si eso demostraba que tenía fe en mí, o acaso en sí mismo.

—Lo hicimos; le denunciamos al Observatorio de Bosques y al Sierra Club: le impusieron una multa de mil dólares. A Bryan le resultaba más fácil pagar la multa que levantar las barreras necesarias para evitar que el lodo penetrase en el arroyo. Es un empresario. Para él, es una cuestión de rentabilidad.

—Algunos podrían alegar que reduces a Bryan a una caricatura —observó Allen—. Podrían decir que vosotros y vuestra causa perdéis credibilidad al catalogar las cosas en blanco o negro.

Estuve a punto de espetar que eso es también lo que atrae a la gente. A la gente le gusta que al menos haya algo en su vida que sea blanco o negro, privado de cualquier complejidad.

—Sí, es verdad. Algunos podrían alegar eso —convino Luke, sosteniendo la mirada de Allen—. He leído suficientes libros sobre el medio ambiente y he visto suficientes películas de baja calidad para saber que los planificadores urbanísticos siempre son los villanos que vienen a quedarse la granja de la abuela o a construir una urbanización sobre un cementerio de residuos nucleares. Lo bueno de Bryan es que encarna a la perfección esa figura. Con él, los más profundos temores que puedan albergarse sobre los especuladores inmobiliarios no sólo se confirman, sino que transcienden. A veces, ni yo mismo doy crédito. Es absolutamente *puro*, de la misma manera que un tiburón o una cucaracha son puros porque ya no necesitan evolucionar: han alcanzado la perfección en su especie.

Luke hizo una pausa mientras *Mama* Tilson colocaba en la mesa mi plato de comida y mi taza de té.

—Al principio, yo también pensaba que Bryan no podía ser tan malo —prosiguió—. Cuando descubrí que el lodo de Licklog procedía de su urbanización, fui a visitarle a su oficina. Me comporté de manera exquisita. Nada de insultos, nada de amenazas. Me limité a sugerirle que levantara barreras entre la zona de construcción y el arroyo. Una vez que hube terminado de hablar, el muy cabrón abrió la billetera y sacó tres billetes de cien dólares. Ésa era su forma de solucionar el problema.

—Bryan afirma que proporciona puestos de trabajo a la zona —dijo Allen.

—Unos cuantos contratos temporales en la construcción, sí; pero las empresas con las que trabaja proceden de Columbia, y muchos de los empleos los ocupa su propia gente. Hay oferta de trabajos de salario mínimo para guardias de seguridad y empleados de mantenimiento. A veces los clientes de Bryan necesitan a alguien que friegue los suelos o desatasque los retretes. En términos generales, Bryan está ofreciendo excelentes oportunidades de desarrollo profesional a los habitantes del condado de Oconee.

La puerta del establecimiento se abrió y Randy y Ronny entraron con sus mujeres, Jill y Nadine. Llevaban con ellos a sus hijos, que corrían por delante de sus padres exigiendo para sí unos asientos determinados. Jill y Nadine vestían pantalones y blusa, pero los mellizos llevaban monos de trabajo y robustos zapatos de cuero. Probablemente, al marcharse del río, habían ido directamente a sus huertos frutales. Las dos familias se sentaron a la mesa que ocupaba el centro del comedor.

Al contrario que Billy, los mellizos nunca habían salido del condado, ni siquiera para ampliar sus estudios. Jill y Nadine, tampoco. La vida que ambas mujeres siempre habían imaginado para ellas mismas era la del matrimonio, justo después de salir del instituto. Habían envejecido más deprisa que yo, y no sólo por el hecho de haber tenido y criado hijos. Las largas horas que pasaban ayudando a sus maridos en los huertos les habían surcado el rostro de arrugas. Jill y Nadine parecían cansadas, pero también daban aspecto de felicidad mientras se esforzaban porque los niños se sentaran y se mantuvieran quietos.

«No idealices sus vidas», me dije a mí misma. «No creas que esta pequeña escena digna de un cuadro de Norman Rockwell es algo más que un breve respiro.» Aun así, no pude evitar pensar en cómo, si las cosas hubieran sido diferentes, Ben y yo podríamos haber traído a nuestras propias familias a Mama Tilson's los viernes por la noche.

Luke se recostó hacia atrás, levantó los brazos y los colocó a lo largo del respaldo del reservado, como para contemplar a Allen desde un ángulo más amplio.

—No se trata de que el cadáver de esa niña siga en el río.

—Entonces, ¿de qué se trata? —preguntó Allen.

—La cuestión es si se puede o no circunvalar la ley federal. Una vez que se siente precedente, habrá otras excepciones. Bryan lo sabe. ¿Por qué, si no, estaría apoyando a Kowalsky y a Brennon?

—¿No crees que esté preocupado por la publicidad sobre lo peligroso que resulta el Tamassee?

—¡Puro cuento! Casi todos los clientes de Bryan ya tienen bastante con entrar y salir de la bañera. No se meterían en el río ni en las mejores condiciones del agua.

Luke hizo una pausa.

—Si alguien tiene que preocuparse de su clientela, ése es Earl Wilkinson. Sus clientes buscan la ilusión del peligro, no el peligro verdadero. En cuanto se enteren de que un tramo del río no sólo puede matarte, sino que además se queda con tu cadáver, optarán por buscar sus emociones de fin de semana sorteando el tráfico de los centros comerciales.

Luke consultó su reloj.

—Tengo que irme dentro de un minuto. Alguien del Sierra Club quedó en llamarme a las ocho.

Se giró y se inclinó ligeramente en mi dirección, dejando a Allen fuera de su campo de visión. Su tono resultaba casi conspirador.

—Estoy tentado de decirles que se mantengan al margen.

—¿Por qué? —se extrañó Allen, que no estaba dispuesto a quedar excluido de la conversación—. Hubiera pensado que querrías toda la ayuda posible.

Luke volvió la vista a Allen, y la irritación en sus ojos y en su voz resultaba patente.

—Demasiados catedráticos con cargo vitalicio, demasiados antiguos *hippys* que trabajan para Microsoft. Una vez que se han vendido al sistema, alivian sus conciencias uniéndose al Sierra Club o a Amnistía Internacional. Se han convertido en la versión del nuevo milenio del Club de los Optimistas.

Coloqué mi cubierto en el plato.

—Eso no es justo —protesté—. Nunca habrías conseguido la categoría de Río Salvaje y Paisajístico sin su apoyo. No tuviste reparos en llamarlos entonces para que te echaran una mano. Y lo hicieron, no sólo con donaciones, sino con muchas horas al teléfono y escribiendo cartas.

—Pero esto es distinto —argumentó Luke—. Tendrán que asumir una postura por la que no todo el mundo va a darles una palmadita en la cabeza y a decir lo benefactores que son y lo mucho que se comprometen con su causa. Hacen falta arrestos para decir lo que ellos saben que es lo correcto.

—¿Y qué es lo correcto?

—Que el cuerpo de la niña pertenece ahora al Tamassee, que en el momento en que ella entró en el agua aceptó al río en sus propios términos. En eso consiste la vida salvaje: es la naturaleza en sus propios términos, no en los nuestros, y no existe un terreno intermedio. O lo es, o no lo es. Pensad en las montañas Smoky. Han edificado restaurantes, hoteles, puestos de primeros auxilios y tiendas de regalos. Se diría que fuera una sucursal de Disney World en Carolina del Norte. Si ese Parque Nacional estuviera organizado como es debido, no habría ni una sola carretera. La gente accedería a pie. No habría un McDonald's cada cien metros para calmar el hambre o la sed. Y si el pequeño Johnny se perdiera, se muriera de inanición o le mordiera una serpiente de cascabel, ése sería el precio de admisión.

—Entonces, ¿por qué no dejaste que se ahogara el sobrino de Billy?

Me giré hacia Allen.

—El sobrino de Billy se cayó de una canoa al canal del Toro. Había un hidráulico, no tan malo como el del acantilado del Lobo, pero peligroso de todas maneras. Luke tuvo que intentarlo dos veces.

—No tuve que dañar el río para sacarle —señaló.

—¿Le habrías dejado ahogarse si el hecho de salvarle hubiera dañado al Tamassee?

—Sí —respondió Luke con sequedad, y luego guardo las fotografías en el sobre.

—No me lo creo —dije yo—. Estoy segura de que te habrías lanzado de todas formas.

—Puedes creer lo que te parezca —replicó Luke, y miró a Allen—. Una última cosa: el primo de *Maggie*

tiene razón. Si Brennon piensa que una pieza de poliuretano de metro y medio es capaz de frenar al Tamassee en
esta época del año, conoce tan poco este río como lo conocía Ruth Kowalsky.

Luke salió del reservado. Al pasar por mi lado, se
detuvo y me dio una palmada en al hombro con la mano
derecha.

—¿Cuándo has empezado a usar perfume y a ma-
quillarte, Maggie? —dijo, y luego se dio la vuelta y caminó hacia la puerta.

Allen apagó la grabadora.

—¿Conseguiste lo que necesitabas? —pregunté.

—Desde luego.

—¿De qué estuvisteis hablando antes de que yo
llegara?

—En su mayor parte, de lo difícil que fue conseguir
que declararan al Tamassee Río Salvaje y Paisajístico, no
sólo a escala estatal y federal, sino también local. Me habló de las palizas que le han dado los madereros; de las
veces que han tiroteado su casa y su negocio.

—¿Te ha dicho que nunca puso una denuncia? Una
vez le pegaron tal paliza que pasó cuatro días en el hospital, pero cuando el *sheriff* Cantrel le interrogó se negó
a dar nombres.

—No, no me lo ha dicho. ¿Tenía miedo de delatarlos?

—No. Estaba demostrando que no podían intimi-
darle. Los madereros jamás lo admitirían, pero le respetan
por eso, aunque algunos de ellos le odien a muerte.

Una niña sentada a la mesa de los mellizos soltó un
chillido porque se le había derramado su bebida. *Mama*
Tilson llegó corriendo con un trapo y se puso a limpiar.

La niña rompió a llorar y Randy se la sentó en las rodillas y le estuvo hablando suavemente hasta que se calmó. Cogió una servilleta y le secó las lágrimas.

—La verdad es que Luke se esforzó más que nadie a la hora de conseguir para el Tamassee el estatus de río protegido. Escribió la mayoría de las cartas, reunió las firmas y las envió. Atrajo gente a las reuniones e implicó en el proyecto a grandes organizaciones medioambientales. La población local le subestimó; no sólo sus adversarios, sino incluso quienes estaban a su lado.

—¿Por qué?

—Porque sólo llevaba un año viviendo aquí. Al principio, casi nadie le tomaba en serio. Imaginaban que se cansaría, o se asustaría, o decidiría mudarse a algún sitio donde pudiera vivir por encima del umbral de pobreza.

—De manera que Luke no es nativo de Oconee. Yo creía que sí.

—No, se crió en Florida. Ahora lleva aquí tanto tiempo que mucha gente no lo sabe, o lo ha olvidado.

Me llevé a la boca lo que me quedaba del hojaldre de manzana y solté la cuchara. Randy se acercó a la máquina de discos, con su hija en brazos. Le dio una moneda de cuarto de dólar a la niña y dejó que la metiera por la ranura. Casi al instante, el gemido solitario de Dwight Yoakam inundó el comedor.

—¿Habéis hablado de África? —pregunté.

—Saqué el tema, pero Luke puntualizó que había venido a hablar del Tamassee.

Empujé el cuenco vacío al centro de la mesa. La caminata de ida y vuelta hasta el acantilado me había abierto el apetito.

—¿Qué más te ha dicho Luke?

—Unas cuantas cosas sobre ti. Por cierto, no sabía que en otro tiempo hubieras sido ecologista militante.

—Vestida de *hippy* de la cabeza a los pies.

—Me contó que tu madre murió durante tu primer año de universidad. Y también lo de tu hermano.

Allen miró a la hija de Randy, encaramada en el regazo de éste. Daba golpes con una pajita de plástico en la pierna de su padre mientras cantaba al son de la música de la máquina de discos. Me pregunté si Allen veía algo en ella que le recordara a Miranda; si no lo que había sido, tal vez lo que habría podido llegar a ser. Me vino a la memoria lo que mi profesora de Historia del Arte nos había contado sobre Rembrandt. Tres de sus hijos murieron prematuramente, y pasados unos años el artista les retrató como imaginaba que habrían sido de adultos.

—Luke me preguntó si éramos amantes —dijo Allen, aún mirando a la hija de Randy.

—¿Por qué se le ocurriría hacer esa pregunta?

Allen giró la cabeza hacia mí, y sus ojos se encontraron con los míos.

—Tal vez porque me notaba muy interesado en lo que me decía acerca de ti.

El rostro de Claire Pritchard-Hemphill me vino a la mente. De pronto, me pregunté si había algo en mí que a Allen le recordara a ella. Mi aspecto físico, desde luego, no podía ser. Yo era apalache pura, de sangre india y celta. Mis rasgos se habían ido aclarando con el paso de siglos de días fríos y carentes de sol; mis ojos eran de un gélido tono azul. Pero quizá se trataba de algún gesto o expresión, acaso mi voz, o el champú que utilizaba. Era una idea absurda, pero a la vez inquietante.

—Espero que no te importe que me interese por ti —señaló—. Si no te parece...

—No me importa —interrumpí—. No me importa en absoluto.

Puse una mano en la mesa, lo bastante cerca de la de Allen como para que pudiera colocarla sobre la mía. Pero no lo hizo. «Dale tiempo», pensé.

Señalé con la cabeza a la mesa de Ronny y Randy.

—Supongo que esta mañana has hablado con los hermanos Moseley.

—Un poco. No tenían mucho que decir.

—Es su manera de ser, sobre todo con las personas a las que no conocen bien.

—¿Los conociste de niños?

—Sí, y también a sus mujeres. De hecho, me gustaría ponerme al día de sus vidas. ¿Por qué no me esperas en el motel? Charlaré con ellos un rato, y puede que te consiga alguna información para tu artículo. Luego te enseñaré algunos lugares de interés de los alrededores y te daré la oportunidad de beber un trago y escuchar buena música. Si te apetece, claro está.

—Claro que sí —dijo Allen, y cogió la cuenta.

Las hogueras perpetuas se originaron en las Midlands de Escocia. En las casas familiares, nunca se dejaba morir por completo el fuego del hogar; los rescoldos de la noche anterior se removían hasta avivar de nuevo las llamas. Cuando los hijos se marchaban de casa para casarse y formar sus propias familias, se llevaban consigo parte del fuego del hogar de sus padres. Era una reliquia familiar, un talismán que generación tras generación era alimentado y protegido, pues se trataba de una memoria viva. Cuando algunos de los clanes emigraron a Norteamérica, mantuvieron las hogueras encendidas en los barcos que les transportaron a través el Atlántico. Después, las llevaron hasta los Apalaches del Sur desde la ciudad de Charleston, o hasta las montañas de Shenandoah desde Filadelfia. Existió una hoguera encendida en la década de 1500 que se mantuvo viva hasta 1970. El fuego fue custodiado en último lugar por un anciano, y sólo se extinguió cuando una represa inundó el valle en el que aquel hombre había vivido durante ocho décadas. Ahora, sesenta metros de agua cubrían aquel hogar.

Lo más parecido a una hoguera perpetua que podía encontrarse en Tamassee era la noche del sábado en la tienda de Billy. No era inusual encontrar a cuatro generaciones de la misma familia sentadas en grupo, en hamacas de jardín; las canciones, en lugar de las hogueras, pasaban de padres a hijos.

Lou Henson comenzó a organizar estos encuentros el verano en que cumplí los catorce años. Ben no quiso ir, de manera que la tía Margaret, que había contado con acudir, se ofreció a quedarse con él mientras los demás íbamos a la reunión. Pero mi padre se negó en redondo.

—Nadie se fija en tus quemaduras, sólo tú —le dijo a Ben. Su voz denotaba enfado y frustración, como si las cicatrices sólo fueran cosa de la imaginación de su hijo—. Vas a ir, quieras o no. No permitiré que te escondas en la casa, compadeciéndote, ¿entendido?

Mientras mi padre gritaba, mi madre no pronunció palabra. Fue la tía Margaret quien con su mano agarró firmemente el brazo de mi padre.

—Iré —respondió Ben con un hilo de voz, como solía hacer cuando nuestro padre insistía para que asistiera a una fiesta familiar o a un concierto de góspel, o para que le acompañara a Seneca (lo peor de todo, porque allí nadie le conocía).

Cuando mi padre se marchó a coger la gorra, la tía Margaret se inclinó hacia mí.

—No está enfadado con Ben, cariño. Está enfadado consigo mismo.

Pero yo reflexioné que, si eso era verdad, ¿por qué gritaba a mi hermano?

A mis amigas y a mí nos empezaban a gustar los chicos de nuestras clases de Enseñanza Secundaria. Iban rezagados con respecto a nosotras tanto físicamente como en el terreno de las relaciones sociales y, a pesar de sus intentos por disimularlo, nosotras sabíamos que a ellos también les gustábamos. Solíamos arrastrarles para bailar hasta la zona de delante de los surtidores de gasolina. Aunque torpes como potrillos y con el rostro sonrojado, era evidente que nuestra atención les halagaba. A veces, los más osados se atrevían a darnos un beso o a deslizar la mano bajo nuestras blusas o camisetas para acariciarnos la parte baja de la espalda. Entonces, nosotras caíamos en la cuenta de que nos iban alcanzando a mayor velocidad de la que deseábamos.

Con frecuencia, cuando estaba yo por allí, divirtiéndome, me daba la vuelta y veía a Ben en las sombras. No se estaba quieto en el mismo lugar, sino que siempre se mantenía justo en el borde de la luz que iluminaba la fachada de la tienda, como un perro hambriento que diera vueltas alrededor de la hoguera de un cazador. Y yo pensaba: «¿Qué derecho tengo yo a divertirme, cuando él no puede?». A veces, me aproximaba a su lado, y juntos esperábamos a que nuestros padres decidieran marcharse. Otras veces, no me acercaba a él. De vez en cuando, mi madre conseguía que Ben saliera de su escondite tentándole con un refresco o algo de comer, pero rápidamente regresaba a su escondite en las sombras.

Para cuando Allen y yo llegamos a la tienda, se habían congregado varias decenas de personas, cuyos nombres yo conocía. Billy se encontraba en el porche con sus hijos, montando un escenario provisional para Randall y Jeff Alexander. Wanda, la mujer de Billy, estaba en el interior, a cargo de la caja registradora. Casi todo el mundo había traído sus propias hamacas, aunque algunos se sentaban en la plataforma de los surtidores.

—¿Te apetece una cerveza? —preguntó Allen.

—Sí. Una en botella.

Me llevé la mano al bolsillo de mis vaqueros para sacar dinero.

—Tengo yo —dijo Allen.

Miré a mi alrededor y contemplé los rostros que, si bien familiares, mostraban el paso de los años. Varias personas me saludaron con un gesto o una inclinación de cabeza. Llegaron Randall y Jeff; en la mano derecha portaban sendos estuches de instrumentos musicales. Randall se agarraba del codo de su hijo con la mano izquierda.

Ascendieron los escalones lentamente, y Jeff se sujetaba al pasamanos. Condujo a su padre a un taburete y, tras sacar los instrumentos de los estuches, le entregó la guitarra.

Joel llegó en su camioneta y aparcó en un recodo de la carretera. Sacó dos hamacas de la parte trasera del vehículo y ayudó a su madre a bajar del asiento del acompañante.

—¡Mi querida niña! ¡Cómo me alegro de verte! —exclamó la tía Margaret, mientras tiraba de mí para abrazarme. Aunque era la hermana mayor de mi padre, siempre había parecido más joven; más aún desde que mi padre se puso enfermo—. Parece que ha pasado una eternidad.

Yo sabía, sin necesidad de mirar, que los ojos de mi tía se habían cuajado de lágrimas mientras me abrazaba con más fuerza. Al cabo de unos instantes, aflojó los brazos y dio un paso atrás para mirarme.

—Sigues tan guapa como siempre, Maggie —me dijo, apretando su mano sobre la mía—. Ven aquí. —Nos alejamos del escenario, donde ella podía hablar en voz más baja—: No sé lo que te habrá dicho tu padre, pero está muy mal. El cáncer está acabando con él.

Me dio un último apretón en la mano y fui consciente de la fuerza que transmitía.

—Ha llegado el momento de hacer borrón y cuenta nueva, Maggie —sentenció—. Si esperas demasiado tiempo, no tendrás la oportunidad de solucionar las cosas.

—Sí, tía Margaret —contesté yo, porque era la respuesta fácil. Pero también sabía que si ella hubiera estado en mi lugar, habría hecho exactamente lo que me estaba pidiendo. Ben había heredado aquella capacidad de perdón. Yo, no.

Randall y Jeff comenzaron su actuación con *Mary of the wild moor*, de modo que nos giramos para mirar al escenario a medida que Jeff empezaba a cantar.

Era una fría noche invernal,
el viento azotaba el páramo.
Mary avanzaba rumbo a casa
con un bebé en los brazos,
y llegó a la puerta de su padre.

Tras la segunda estrofa, Randall inició un solo. Observé cómo sus dedos se desdibujaban al pulsar las cuerdas a toda velocidad. Intenté imaginar lo que sería saber hacer algo con la maestría con que Randall Alexander tocaba la guitarra, sin mirarla, guiándose sólo por el tacto. Mientras yo contemplaba al anciano inclinar la cabeza hacia las cuerdas, como si mantuviera una conversación confidencial, me pregunté si el sentido de la vista sería únicamente otra distracción, una barrera que impedía el paso a ese lugar dentro de la música que nada ni nadie podía traspasar.

Allen acudió a nuestro lado, con dos Budweiser de cuello largo en una mano y una bolsa de cacahuetes en la otra. Le presenté a la tía Margaret y a Joel, pero resultaba difícil hablar por encima de la música, por lo que enseguida devolvimos la atención a Randall y Jeff. La tía Margaret y Joel tomaron asiento en sus hamacas. Allen y yo nos acercamos al porche y nos acomodamos sobre la plataforma de los surtidores.

—Tengo entendido que algunas de esas baladas datan de tiempos isabelinos —dijo Allen, cuando la canción hubo terminado—. Y, por lo visto, también algunas expresiones de las que se usan por estas tierras.

—Ese asunto suele exagerarse; la gente llega aquí dando por hecho que van a adentrarse en una obra de teatro de Shakespeare. Aun así, hay algo de cierto; algunas palabras y costumbres ancestrales siguen arraigadas.

Randall y Jeff comenzaron a tocar otra vez, en esta ocasión una pieza más rápida. Otras personas habían ido llegando, y sus vehículos estaban aparcados a lo largo de la carretera. Billy nunca hacía propaganda de aquellos encuentros; no era necesario.

—Son muy buenos —observó Allen cuando Randall y Jeff hicieron un alto—. Sobre todo, el padre.

—Solía actuar en Nashville de vez en cuando; últimamente, no.

Coloqué mi botella vacía junto a la de Allen.

—¿Te apetece otra? —preguntó.

—De acuerdo, si tú me acompañas.

Allen se quedó mirando la pila de cáscaras que yo tenía delante de los pies y esbozó una sonrisa.

—También traeré más cacahuetes. Pero esta vez, yo sujetaré la bolsa; así podré tomar unos cuantos.

Allen entró en la tienda al tiempo que Billy salía al porche para hablar con la tía Margaret. Le llevó unos minutos, pero por fin consiguió que subiera al escenario junto a Randall y Jeff, quienes habían vuelto a sentarse en los taburetes y afinaban sus instrumentos.

Allen me entregó la cerveza y se sentó, esta vez más cerca, con su pierna pegada a la mía. Randall y Jeff tocaron la introducción de *Omie Wise*.

144

No por primera vez, se me ocurrió que el desconsuelo podía cristalizarse en una canción, de la misma manera que un pedazo de carbón se cristaliza en un diamante.

Ven a escuchar la historia
de Omie Wise,
y cómo fue engañada
por el malvado John Lewis.

Al volver a escuchar de nuevo la voz de la tía Margaret, me vinieron a la memoria las mañanas de domingo en la iglesia y el reverendo Tilson, con la cara encendida de tanto gritar y pasear de un lado a otro y con la Biblia levantada sobre su cabeza. Recordé el llanto y el crujir de dientes, las lenguas de fuego, lo terrorífico que todo aquello me resultaba. Hasta que la tía Margaret se situaba junto al desvencijado piano y empezaba a cantar.

Entonces, mi miedo desaparecía; su voz caía sobre mí como un bálsamo caliente. A veces, mientras ella cantaba, yo miraba por la ventana abierta y al ver las lápidas me preguntaba si alguna vez los muertos la escuchaban.

A media canción, Randall y Jeff interpretaron por turnos un solo instrumental, y luego hicieron que la guitarra y el banjo volvieran a fundirse suavemente como dos arroyos que convergen, mientras la tía Margaret llegaba a los versos más conmovedores de la canción.

Ten piedad de tu hijo,
perdóname a mí la vida.

Volveré a casa implorando,
ya que nunca me harás tu esposa.
No hay piedad, no hay piedad,
gritaba John Lewis.
enviaré tu cuerpo
a lo más hondo del río.

Me acordé de Ruth Kowalsky, en la oscuridad del lecho del Tamassee, e imaginé a sus padres en su habitación de motel, en Seneca. ¿Hablaron sobre su pérdida, encendieron la televisión o, simplemente, esperaron en silencio? Me pregunté qué habría hecho Allen aquellos primeros días después de haber perdido a su familia. ¿Había buscado la soledad, o tal vez se había refugiado en el trabajo o los amigos? ¿Había entrado en un bar, o en una iglesia? ¿Había sido capaz de permanecer en una casa que pertenecía a su mujer y a su hija tanto como a él?

También me acordé de mi propia familia aquellas primeras semanas después de que Ben volviera a casa del hospital; de cómo, cuando comíamos o cenábamos, casi nadie hablaba ni levantaba la vista del plato, lo que empeoraba las cosas para Ben, quien ya sufría burlas en el colegio. ¿En qué pensaría, cuando daba la impresión de que ni su propia familia podía mirarle? Era como si todos nos sintiéramos avergonzados por la parte que nos había tocado en lo sucedido. Mi madre intentaba decir algo, nos preguntaba, por ejemplo, qué aprendíamos Ben y yo en nuestras clases; pero todas las preguntas y respuestas eran sucintas, no llegaban a formularse frases enteras. Aquellas primeras semanas, mi padre cenaba a toda velocidad y se marchaba a la tienda de

Henson en cuanto podía. Cuando regresaba, el aliento le olía a cerveza.

Una de esas noches, al volver a casa, entró directamente a la habitación de Ben. Al contrario que yo, estaba dormido. Mi padre no encendió la luz. Le despertó con su tono de voz, pues hablaba tan alto que yo también le oía.

—En cuando te hagan ese injerto de piel, estarás más guapo que Rock Hudson —vociferó mi padre.

A continuación, avanzó por el pasillo a trompicones. Tumbada en mi cama, juré una vez más lo que llevaba jurando desde el día del accidente: estudiaría mucho para obtener una beca; así podría ganarme la vida lejos, muy lejos de Tamassee.

—¿Has heredado sus dotes musicales? —me preguntó Allen cuando la tía Margaret hubo terminado.

—No. Es la única persona de nuestra familia con esa habilidad para cantar.

Randall y Jeff comenzaron una canción lenta y varias parejas se levantaron para bailar. Me puse de pie y alargué la mano en dirección a Allen.

—Vamos.

Se levantó a regañadientes.

—Me eduqué como discípulo de los baptistas del Sur. Tenemos un undécimo mandamiento: «No bailarás».

Le cogí de la mano.

—No acepto excusas —zanjé yo.

Conduje a Allen hacia la zona despejada que hacía las veces de pista de baile. Coloqué sus brazos alrededor de mí y le atraje más cerca. Luego, apoyé la cabeza contra su pecho. Noté que se puso en tensión cuando, con la mano derecha, presioné la parte baja de su espalda. Cerré los ojos y aspiré el aroma a jabón y a loción para el afeitado olor a lima.

No nos movíamos mucho, sólo oscilábamos, abrazados, de un lado a otro. Allen no me acercaba más hacia él con su mano derecha; aún deseaba cierta distancia entre nosotros.

Bailamos una vez más, y luego nos subimos al coche y nos dirigimos hacia el motel, pero Allen no se paró allí. Siguió conduciendo en dirección al río y se detuvo en el aparcamiento de la margen de Carolina del Sur. Caminamos hasta la mitad del puente y nos apoyamos contra la barandilla de cemento.

Pasados un par de minutos, se decidió a hablar.

—¿Te dijeron algo los Moseley sobre la recuperación del cuerpo?

—Hablamos principalmente sobre quién se ha casado, quién se ha divorciado, ese tipo de cosas. No mencionamos el otro asunto hasta que llegamos al aparcamiento y los niños ya no nos oían.

Una camioneta con matrícula de Georgia atravesó el puente lentamente. La parte trasera iba atestada de sacos de fertilizante y el puente tembló a causa del peso.

—No dijeron gran cosa, sólo que Kowalsky no acaba de entender que ellos se están esforzando todo lo posible. Los mellizos se enorgullecen de ser buenos profesionales; les molesta que Kowalsky los tome por incompetentes.

—Phillips debe de sentir lo mismo —indicó Allen—. No logré sacarle mucho, sobre todo porque

Brennon y Kowalsky estaban cerca; pero se ve a las claras que al pobre tipo le encantaría despertarse y darse cuenta de que todo era un mal sueño. Los dos bandos le están presionando.

La linterna de un pescador parpadeó corriente abajo, cerca del recodo del río.

—¿Sigues con la idea de que nos marchemos por la mañana, o tienes que hablar con más gente?

—No, ya tengo suficiente —repuso Allen—. Ahora es cuestión de escribir el artículo.

—¿A qué hora quieres salir?

—Cuanto antes, mejor. Lee me ha pedido entre mil y mil quinientas palabras. Si no te importa, conduce tú para que yo pueda ir trabajando en el trayecto de vuelta.

—De acuerdo.

—¿Te parece bien las nueve?

—Muy bien —respondí.

Una brisa se levantó desde el río. Por encima del monte Whiteside sólo se veía el reborde del sol. A partir de ese momento, la temperatura caería en picado. No importaba lo caluroso que hubiera sido el día, por la noche habría que dormir con manta. Durante unos minutos, sólo se escuchó el agua lamiendo las rocas. Después, desde los tupidos bosques cercanos al cerro del Castaño llegó un sonido que recordaba al llanto de un niño.

—¿Qué es eso? —preguntó Allen.

—Yo diría que un lince rojo, aunque quizá Billy argumentaría que es un puma.

—¿Quieres que vaya a por la grabadora? —preguntó Allen.

—Tiene que acercarse más. En este momento está demasiado lejos para poder grabarlo.

—¿Cuándo fue la última vez que se vieron pumas en estas montañas? Quiero decir, que se haya podido demostrar.

—Mataron un ejemplar con sus dos cachorros en 1908.

—¿Crees que Billy realmente vio uno?

—No lo sé. Cuando se es niño, supongo que se puede ver toda clase de cosas. Billy está convencido de que lo vio, de eso no me cabe duda.

La última luz del día se asentó momentáneamente sobre la cima del monte Sassafras y luego se deslizó por la ladera oeste de la montaña. Nos quedamos a la escucha hasta que la luz se extinguió por completo, pero la criatura que había gritado en el bosque permaneció en silencio.

Me dije a mí misma que aquel era un buen momento, y decidí dar el paso.

—Te busqué en Internet esta mañana. No sabía lo de tu familia.

La oscuridad no me permitió ver la reacción de Allen, pero éste hizo una breve pausa antes de responder.

—Nadie del periódico lo sabe, excepto Hudson. Yo quise que así fuera.

—¿Por qué?

—Porque la gente no sabría cómo tratar el asunto. Estarían hablando de hijos o cónyuges y, de pronto, cambiarían de tema en cuanto yo apareciese. Todo el mundo de la oficina vería las fotos familiares de los demás, excepto yo. Y de ser lo contrario, resultaría aún peor. Creerían que yo necesitaba desahogarme con alguien, por lo general con ellos y si no, con un psiquiatra o grupo de terapia que conocen. De una u otra manera, las cosas empeorarían.

—Yo no te haría eso —repliqué.

—Me alegro. Quiero que tratemos el tema con naturalidad. Estuve a punto de hablar de ello durante la cena.

—¿Por qué no lo hiciste?

—Aún no estoy seguro de lo que siento, o lo que debería sentir, sobre Claire. Además, no sabía cómo reaccionarías.

—¿A qué te refieres?

—Podría hacer que sintieras recelos hacia mí.

—No me asusto con facilidad —respondí yo, intentando sonar más segura de lo que tal vez estaba.

—Me alegro.

Más abajo, una trucha atrapó algo que flotaba en la superficie. De más allá del río llegó otro chapoteo, señal inequívoca de que las efímeras, o moscas de un día, estaban empollando.

—¿Y tú? —preguntó Allen—. ¿Has estado casada?

—No.

—¿Y has pensado en casarte alguna vez?

—En realidad, no —respondí—. Tuve una relación más o menos oficial con un tipo de Laurens, pero él decidió que yo tenía graves defectos de carácter.

—¿Qué defectos?

—Me dijo que era puritana, e incapaz de mostrar mis sentimientos. Que padecía de «frigidez emocional», por utilizar su expresión. Cuando le dije que mi pasado tenía mucho que ver con eso, argumentó que yo habría sido igual aunque Ben no se hubiera abrasado, aunque mi madre no hubiera muerto. Dijo que me sentía a gusto con mi forma de ser, que tener a alguien o a algo que culpar me facilitaba el negarme a cambiar.

—¿Crees que tenía razón?

—En aquel tiempo no me lo parecía.

—Es una respuesta poco explícita.

—Dejémosla así. De esa manera, podrás hacer tu propia interpretación.

—¿Qué hay de tu relación con Luke?

—Luke no es partidario del matrimonio.

—Pero, ¿le amabas?

—Sí, pero era una clase de amor ingenuo. No me daba cuenta de que alguien podía aceptar tu amor sin amarte a ti.

—Entiendo —dijo Allen, y noté que me colocaba la mano en la cintura. Me atrajo hacia él y nos besamos. Nos quedamos en el puente un rato más y luego subimos al coche y regresamos al motel. Me fui a mi habitación y me puse el pijama. Me instalé cómodamente en la cama, con *Nuestros montañeses del Sur*, de Kephart, en la mano; pero en lugar de leer empecé a pensar en aquel atardecer en el río, cuando la oscuridad fundía el agua con la orilla y los árboles. Recordé cómo la corriente sólo era un sonido que susurraba a nuestros pies mientras Allen y yo nos encontrábamos en el puente que unía dos estados; y cómo, al menos durante un rato, no pensé en el cuerpo de Ruth Kowalsky, un kilómetro corriente abajo, aguardando a ser recuperado; ni en mi padre, muriendo poco a poco en la soledad de su casa.

Me pregunté si escucharía una ligera llamada en la puerta de mi habitación y, de producirse esa llamada, qué diría yo, qué haría. Pero Allen Hemphill no llamó a mi puerta, de modo que dejé el libro en la mesilla de noche y apagué la lámpara.

SEGUNDA PARTE

—*Voy un momento a la tienda de Lou a por cigarrillos* —*dijo mi padre*—. *Cuida de tu hermano hasta que yo vuelva.*

Mi madre se había ido a Seneca con la tía Margaret, a comprar tarros para conserva, dejándonos a Ben y a mí con él. Le dijo que no nos perdiera de vista y que tuviera cuidado con la olla de judías que hervía a fuego lento en la cocina; pero mi padre necesitaba comprar tabaco, de modo que nos dejó solos en el cuarto de estar. Ben estaba sentado en el suelo, jugando con un tren en miniatura; yo, en una silla, haciendo deberes de Matemáticas. Pasados unos minutos, Ben dijo:

—*Tengo hambre.*

Y se levantó mientras yo añadía la última columna de cifras y anotaba la respuesta. Sólo transcurrieron unos segundos antes de que le siguiera hasta la cocina, pero Ben ya había puesto la mano en el asa y el brazo le temblaba mientras del quemador tiraba la olla de ocho litros de capacidad. Alargué el brazo para coger el asa. Demasiado tarde, pues el agua hirviendo y las judías acababan de derramarse sobre la cara de Ben y sobre mi pierna y brazo izquierdos. Por unos instantes, no supe que yo también me había abrasado; era como si hubiese expulsado de mí toda sensación, toda emoción, y las hubiera transportado a través de los sesenta centímetros que nos separaban a Ben y a mí, como si lo hubiera hecho porque la visión por sí misma no me bastara para llegar a comprender lo que le había ocurrido a mi hermano. No podía haber sido de otro modo, pues sólo sus ojos, que Ben había cerrado en el último instante, se habían salvado.

Ninguno de nosotros gritó. Ben gimoteó un rato y luego enmudeció; pero yo no llegué a articular sonido porque era como estar viendo una película, una escena imaginaria: el rostro desfigurado de Ben no podía ser real. La habitación empezó a oscilar y se inundó de oscuridad. Cuando el suelo volvió a estabilizarse y la luz se hizo de nuevo, Ben y yo nos encontrábamos abrazados en un rincón de la cocina, como si las judías esparcidas por el suelo aún pudieran lastimarnos. La conmoción amortiguaba el dolor de mi hermano; pero a mí el brazo y la pierna me ardían como si yo estuviera envuelta en llamas, llamas que se extendiesen por todo mi cuerpo, fuego invisible que nunca dejaría de arder. «Los pecadores son su propia mecha», había dicho del infierno el reverendo Tilson la mañana que encendió una vela en la iglesia y nos hizo que la fuéramos pasando de mano en mano mientras daba su sermón. Eso era exactamente lo que yo sentía, lo que veía cuando cerraba los ojos: una mecha en el interior de una llama inextinguible. Si yo hubiera sido mayor, o el dolor no hubiera sido tan intenso, podría haber tenido la sensatez suficiente como para telefonear al tío Mark o a los padres de Billy; pero semejante decisión se encontraba por encima de mis posibilidades. Sólo me sentía capaz de mirar el reloj de la cocina, porque la manecilla roja de los segundos demostraba que el tiempo seguía su avance, y eso significaba que mi padre tenía que regresar y que Ben y yo no nos veríamos obligados a quedarnos abrazados en aquel rincón para siempre. Mi padre se había quedado charlando con Lou

Henson y se le había olvidado que estábamos solos. Fui contando en alto cada vez que el segundero pasaba por el número doce, diciéndome que antes de que la manecilla llegara al doce otra vez, él volvería. Había contado hasta veintisiete cuando escuché que el camión se acercaba a la casa.

—Pero niña, ¿qué desastre has organizado aquí? —protestó mi padre al ver las judías esparcidas por el suelo y a Ben y a mí abrazados en un rincón. Me hablaba mientras miraba las judías y la olla, sin vernos realmente a nosotros hasta que Ben, al oír su voz, giró la cara. Entonces, le vio. Pasaron en blanco varios segundos, o acaso minutos, pues de repente ya no estábamos en la casa, sino en el camión, y Ben no articulaba sonido alguno; estaba tan silencioso que di por hecho que se estaba muriendo. Cada vez que tomábamos una curva, nos deslizábamos a uno y otro lado del asiento delantero y el dolor parecía abalanzarse de repente y me atacaba el brazo y la pierna cuando me chocaba contra Ben o golpeaba la portezuela. Yo iba pensando todo el rato: «mi hermano se muere». Por fin, formulé mi pensamiento en voz alta y mi padre replicó:

—Cállate; no digas nada.

Él tampoco volvió a abrir la boca mientras manejaba el volante con una mano y metía las marchas con la otra. A medida que avanzábamos oscilando por aquellas curvas, los acantilados se desplomaban a nuestros pies durante lo que parecían kilómetros, y entre punzada y punzada de dolor imaginé que íbamos a precipitarnos al vacío y nunca dejaríamos de caer.

Por fin, salimos de la montaña y la carretera se enderezó. Miré a Ben. Tenía los ojos entrecerrados, movía las pestañas trémulamente, y de pronto supe con total certeza que si llegaba a cerrar los ojos, no volvería a abrirlos jamás.

—No cierres los ojos, Ben —le decía yo, y él me devolvía una mirada desenfocada, como si yo acabara de despertarle.

Seguí insistiendo en que mantuviera los ojos abiertos incluso cuando los enfermeros del hospital nos sacaron a ambos de la cabina del camión y se lo llevaron a él hacia una sala y a mí, hacia otra. Mi padre se marchó con Ben y me dejó sola hasta que apareció mi madre. Para entonces, el médico me había vendado el brazo y la pierna. Mi madre le dio las gracias y nos marchamos; pero no a casa, sino a la sala de espera.

—Tengo que ir a ver a Ben —me dijo.

—Yo también quiero verle —repuse yo, pero ella negó con la cabeza. En las sillas colocadas a lo largo de las paredes se sentaban personas adultas que yo desconocía, vestidas como si estuvieran en una iglesia, e igual de silenciosas. Daba la impresión de que ninguna de ellas deseaba estar allí. La mujer sentada frente a mí miraba fijamente las vendas de mi brazo; susurró algo al hombre que tenía al lado y él también se quedó mirando las vendas. No me sonrieron, ni mostraron gesto alguno de tristeza o compasión. Sólo miraban. «Quedarte abandonada en esta sala forma parte de tu castigo», me decía a mí misma.

Regresé en el camión con mi padre; mi madre se había quedado con Ben. Una vez en casa, fui caminando sola hasta el prado más lejano, con el brazo sujeto con una gasa; ahora no me ardía, era más bien escozor. Contemplé las montañas y, a mis diez años de edad, experimenté un sentimiento que en aquel momento no supe definir y para el que sólo años después encontraría una palabra: claustrofobia. Porque notaba como si las montañas se hubieran ido cerrando desde que habíamos salido hacia el hospital, y seguirían cerrándose en torno a mí hasta que, por fin, consiguieran asfixiarme.

Capítulo 6

Bajo la luz de seguridad del cuarto oscuro, todo es gris. Las manos parecen vaciarse de vida. El líquido del baño de paro penetra en las fosas nasales y el estómago como si fuera formol, lo que acaso no debería resultar extraño, pues al fin y al cabo la fotografía embalsama objetos o personas preservándolas para una confinada y silenciosa eternidad.

Un cuarto oscuro es un lugar donde los fallos salen a la luz: la desacertada combinación de grado de abertura y velocidad de obturación; la estimación errónea de profundidad de campo o exposición correcta. A veces se cometen nuevos errores: no se comprueba la temperatura de las sustancias químicas, se derrama algún líquido, se enciende la luz blanca demasiado pronto.

Pero en otras ocasiones, todo sale a la perfección. Se lava la impresión bajo la luz gris del cuarto oscuro, y allí aparece la imagen que se confiaba en conseguir.

Eso es lo que ocurrió el lunes por la tarde cuando saqué del secador la fotografía de doce por dieciocho y salí del cuarto oscuro con las demás fotos que merecía la pena mostrar a Lee. Me senté a mi escritorio para estudiar la instantánea con más detenimiento. Todo era correcto: la luz, la velocidad de obturación, la simetría.

Los rápidos del acantilado del Lobo dominaban el encuadre; de fondo, sólo agua y paredes de roca. Herb Kowalsky estaba situado de pie, un poco hacia la derecha. No aparecía nadie más en la foto. Yo había enfocado hacia arriba desde el remanso, y la imagen acababa justo encima de la cabeza de Kowalsky. Por lo general, semejante perspectiva hace parecer a una persona más grande de lo que es, capaz de dominar una escena. Pero en aquella fotografía, el ángulo sólo enfatizaba la impotencia de aquel hombre, situado junto a la cascada que retenía a su hija.

Se deducía que Kowalsky miraba hacia el agua, y se veía el dedo índice levantado para apartar una lágrima que no había existido hasta ese momento.

—¡Cielo santo! —exclamó Lee cuando le mostré la fotografía—. ¿Es éste el padre?

—Sí.

—¡Caramba, Maggie! Es buena. ¡Buenísima!

Lee se acercó a la puerta y llamó a Phil con un grito.

—Mira esto —dijo Lee, entregando la instantánea a Phil—. Maggie te está dando una buena patada en el culo.

Phil colocó la fotografía en el escritorio de Lee como si estuviera leyendo un artículo.

—Una foto impresionante, Lee —observó—. Como para presentarla a algún premio.

—Claro que sí —coincidió Lee, asintiendo con la cabeza para dar énfasis—. Lo sé de sobra. Habría que estar ciego para no darse cuenta de que es una foto excepcional.

Se giró hacia mí.

—¿La ha visto Hemphill?

—No.

—Bueno, ¿por qué no se la enseñas? Puede que le sirva de inspiración para acabar su artículo. Le queda menos de un día y aún no he visto una sola palabra.

—De acuerdo —acepté yo.

Dejé a Lee y Phil y tomé el ascensor a la segunda planta.

—Lee ha pensado que querrías ver esto —indiqué, entregando la fotografía a Allen.

Se quedó mirándola con la misma intensidad que lo había hecho Phil.

—Es increíble —dijo por fin.

—Pero sólo es una fotografía, claro está —tercié yo, bromeando—. Como alguien dijo en cierta ocasión: «Siempre hay más de lo que refleja la realidad mecánica y encuadrada de una cámara fotográfica».

Allen hizo una mueca de disgusto.

—¿De dónde has sacado esa indiscreción de juventud?

—Parte de mi investigación de antecedentes.

—Ese comentario me acarreó un montón de dolores de cabeza bien merecidos —confesó Allen con aspecto avergonzado—. Un fotógrafo amigo me mandó por correo electrónico una recopilación de citas de Susan Sontag; otro tipo me envió un libro con fotos de Henri Cartier-Bresson.

—Entonces, ¿te hemos ganado para la causa?

—No estoy seguro. Ahora dudo mucho más de casi todo que años atrás. —Me devolvió la fotografía—:

Lo que sí sé con seguridad es que esta foto es rematadamente buena.

—Es tan tuya como mía. Tú me diste la idea.

—Eso fue como ofrecer a un articulista un tema sobre el que escribir. Es la persona quien consigue que el resultado sea bueno o no.

Paseé la vista por el despacho de Allen. Austero. Las paredes, desnudas. Unos cuantos libros en las estanterías, principalmente manuales de estilo y diccionarios. Sobre el escritorio, un ordenador; junto a éste, lápices y bolígrafos sobresalían de una taza. Un bloc de rayas y la grabadora. Ninguna fotografía.

—Debe de ser estupendo tener tanto espacio —comenté—. El cubículo en el que trabajo a veces me recuerda a una granja de hormigas de esas que hacen los niños.

Allen señaló la fotografía que yo sujetaba en la mano.

—Unas cuantas como ésa y Hudson te dará su propio despacho.

—Como dicen en el condado de Oconee, sería como pedir que a un sapo le crezcan alas. —Me quedé mirando el bloc—: ¿Qué tal va tu artículo?

—Aún lo estoy escribiendo.

—Si no tienes tiempo para venir a cenar esta noche, lo entenderé.

—No —dijo Allen—. Estoy acabando, sólo me quedan un par de párrafos. De hecho, iba a hacer un alto para tomar un café antes de terminar. ¿Te apetece acompañarme?

Bajamos en el ascensor hasta el vestíbulo principal y casi habíamos llegado a la puerta cuando alguien llamó a

Allen por su nombre. Thomas Hudson se encontraba en el umbral de su despacho. Hizo una seña para que Allen se acercara.

—Volveré enseguida —me dijo.

Salí del edificio y me encontré con un día que con toda seguridad sería precursor de los próximos cuatro meses. Al contrario del aire de las montañas, el de Columbia ya acarreaba un cierto peso, compuesto de calor y humedad a partes iguales. La primera vez que salí a correr después de mudarme desde Laurens, me hallaba sin aliento y empapada de sudor al cabo de un kilómetro. Era como estar en una sauna. Treinta y dos grados, anunciaba el letrero luminoso del Bank of America.

Miré a través de las puertas de cristal y vi que Allen seguía con Hudson. Crucé al otro lado de Main Street. No entré en Starbucks, sino que caminé tres portales más abajo hasta la sucursal de Capital Newsstand. Quería ver si habían llegado los últimos números de *Lenswork* o *Black and White*. Cuando salí del establecimiento, Allen me esperaba en la acera de enfrente. Hice señas con la mano para llamar su atención, pero no me vio. Se giró con la intención de volver a entrar en el edificio. Grité su nombre y me bajé del bordillo. Un claxon sonó con estruendo a medida que un camión de remolque plano me pasaba tan cerca que tuve que dar un salto atrás y agarrarme a un parquímetro para no caerme al suelo. Fue un momento peligroso, pero no tanto como para justificar la expresión de Allen. Mientras recobraba el equilibrio, sin apartar los ojos de su cara, me pregunté si Herb Kowalsky había mostrado el mismo aspecto al observar cómo a su hija se la tragaba el río.

—Estoy bien —dije cuando nos sentamos a una mesa con nuestros respectivos cafés. Era evidente que Allen no estaba tan bien como yo—. Lee habría dicho que aún no me he enterado de que el tráfico puede pasar en dos direcciones diferentes a la vez.

Allen no sonrió. Coloqué mi mano sobre la suya.

—¡Oye! No ha sido para tanto.

—Estuvo a punto de atropellarte —repuso él. Cerró los ojos por unos instantes. Cuando los abrió, se veían tristes, resignados.

Levanté mi café y di un sorbo. Allen no había tocado el suyo.

—Venga —dije sonriendo, aunque empezaba a exasperarme—. Ya está. Prometo que no tengo libros de Anne Sexton o Sylvia Plath en la mesilla de noche. No escucho los CD de Joni Mitchell con las manos atestadas de somníferos. Sólo iba a buscarte, y me descuidé.

Allen se quedó mirando la mesa. Con la mano libre, levantó el café como si estuviera calculando el peso, y luego volvió a depositarlo sin habérselo llevado a los labios. Se aclaró la garganta.

—Claire venía a buscarme al aeropuerto de Dulles cuando ella y Miranda murieron en el accidente. El vuelo había durado dieciocho horas, y yo estaba cansado y de mal humor. Esperé media hora y luego llamé por teléfono a casa, pensando que se le habría olvidado. Saltó el contestador. Volví a llamar quince minutos más tarde y esta vez dejé un mensaje. Le dije a Claire que iba a coger un taxi. También le dije que si no fuera tan egocéntrica se habría acordado de que su marido volvía a casa después de cinco semanas.

Hice un gesto con la mano como para restar importancia a sus palabras.

—No tienes que darme explicaciones —dije.

—Ya lo sé —repuso Allen—, pero creo que así es mejor.

—De acuerdo —accedí yo.

—Me metí en el taxi y tomamos la dirección de Georgetown. Llovía con fuerza, por lo que el trayecto duró más de lo acostumbrado. Al otro lado del bulevar, el estado del tráfico era aún peor. Se había producido un accidente, y el atasco se prolongaba más de un kilómetro. Recuerdo que pensé que por suerte el accidente había ocurrido en los carriles contrarios. Al llegar al apartamento, la luz intermitente del contestador anunciaba dos mensajes. El primero era el mío. El segundo era del hospital; me pedían que llamara inmediatamente.

—No debes sentirte culpable por algo que desconocías —amonesté yo.

Mis palabras sonaban tan condescendientes que opté por callarme. Durante unos instantes, ambos permanecimos en silencio.

—Bueno —dijo Allen por fin—. Más vale que volvamos al trabajo.

—Me alegro de que me lo hayas contado —dije—. Quiero saber esas cosas.

Allen se llevó el café, ya casi frío, a los labios y empezó a beber. No depositó el vaso en la mesa hasta que lo hubo vaciado.

—Vámonos —dijo.

Al ir a cruzar la calle, le agarré del brazo.

—¿Qué quería Hudson? —pregunté.

—Poca cosa, en realidad. Sólo me dijo que tenía ganas de leer el artículo sobre Ruth Kowalsky.

—Debe de resultar agradable —observé—. Hudson nunca se ha dado por enterado de nada de lo que he hecho, mucho menos de algo en lo que aún estoy trabajando.

—También es una excepción para mí —aclaró Allen—. Debe de pensar que esta historia va a vender un montón de periódicos. Siempre he tomado a Hudson por un tipo para quien la rentabilidad es lo primero.

Subimos al ascensor y Allen pulsó los botones para la segunda y tercera plantas.

—Me apetece la cena de esta noche —dijo mientras las puertas se abrían.

—Ya te advertí ayer que no esperes demasiado. Para mí, la cocina es una cuestión de supervivencia, y no de arte.

Allen sonrió.

—Tranquila. No importa qué prepares o cómo lo prepares, seguro que he comido cosas peores. Es una de las consecuencias de haber pasado tiempo en el Tercer Mundo.

—Supongo que mis habilidades culinarias llegarán por lo menos a esas expectativas.

El ascensor se detuvo con una sacudida y me bajé. Mientras se cerraban las puertas metálicas, deseé algo completamente imposible: haber conocido a Allen antes que Claire Pritchard.

—No estaba seguro de cuál elegir —dijo Allen al llegar, mientras me ofrecía una botella de vino blanco y otra de tinto que sostenía con la mano derecha. Colocó la barra de pan en la encimera.

Se había afeitado y, al igual que yo, se había cambiado de ropa. Vestía unos chinos marrones y una camisa de franela azul a tono con sus ojos. Me asaltó la sospecha de que él también había pasado más tiempo mirándose al espejo de lo que lo había hecho últimamente.

—Tinto —repuse yo, cogiendo las botellas.

—¿Te ayudo?

—No, todo está en orden.

—¿Qué tal un poco de vino?

—Estupendo —respondí, y saqué dos copas de la alacena.

Entramos en el cuarto de estar y estuvimos hablando de trabajo mientras Emmylou Harris cantaba sobre el amor perdido y el amor encontrado. Cuando acabamos el vino, Allen me acompañó a la cocina y puse la pasta a hervir, pero hablábamos de una forma un tanto envarada, como cuando dos personas bailan y no saben el paso que el otro va a efectuar.

Nos sentamos a la mesa y me alegré de haber cargado el aparato de música con cinco CD. Por lo menos, la música llenaría los vacíos de nuestra conversación.

—No está tan mal, ¿verdad? —pregunté al tiempo que Allen colocaba el tenedor sobre el plato tras unos cuantos bocados. Ni yo misma estaba segura de si me refería a la velada o a la comida.

—No, está muy bueno. —Allen esbozó una débil sonrisa—: Estoy nervioso, tan nervioso que me cuesta comer. Es como si hubiera vuelto al instituto de Secundaria y fuera mi primera cita. Entonces tampoco pude comer. —Hizo una pausa—: Se puede llamar así, ¿no? ¿Una cita?

—Ven aquí. —Me levanté y alargué la mano. Después, le conduje hasta el sofá del cuarto de estar.

Al contrario de nuestro beso en el puente, éste último duró un buen rato. Levanté la mano y al acariciarle la cabeza noté un cabello más fuerte y ondulado que el mío. Me pregunté hasta dónde quería yo que llegáramos, al menos aquella noche. ¿Y él? ¿Hasta dónde quería llegar? No demasiado lejos, como al poco rato sus manos y sus labios dieron a entender. Al menos, aquella noche.

Pasados unos minutos, me quité los zapatos sacudiendo los pies. Apoyé la cabeza en el pecho de Allen y con las rodillas le apretaba la parte exterior de la pierna.

—Llevo tiempo queriendo hacerte una pregunta —confesé—, pero no estoy segura de si vas a querer contestar.

—Adelante —me animó Allen—. Me he pasado la vida formulándole a la gente esa clase de preguntas, de modo que ahora me toca responder a mí.

—¿Ha sido difícil para ti escribir sobre Ruth Kowalsky?

Allen tardó unos instantes en responder.

—En cierto modo, sí —admitió—. Intensifica ciertos remordimientos.

—¿Qué remordimientos? —pregunté yo, acercándome más a él, notando en la mejilla la suavidad de la franela y, bajo el tejido, el latido de su corazón.

—Que durante buena parte de la vida de mi hija yo no estaba ni siquiera en el mismo continente. Que sólo vivió nueve años, y durante ese tiempo tuvo un padre que la colocó en segundo lugar, por detrás de su carrera profesional.

—Tú no podías saber que su vida iba a ser tan corta.

—Y nunca sabré si realmente habría optado porque Kosovo fuera mi último trabajo en el extranjero. Eso les había dicho a ella y a su madre. Quiero creer que habría cumplido mi promesa; pero aunque lo hubiera hecho, no habría cambiado nueve años de ver a mi hija sólo una semana al mes, incluso con menos frecuencia durante los seis meses que pasé en Ruanda.

Allen cambió de posición para mirarme a la cara.

—¿Sabes lo que me dijo cuando tenía cinco años?

—¿Qué?

—Que sus amigas tenían padres a los que veían a diario.

—Eso debió de dolerte.

—No lo bastante como para tomar medidas.

Volví a apoyarme en el pecho de Allen.

—¿Y tu mujer? ¿También tienes remordimientos?

—Claro que sí; pero son diferentes. Claire no me necesitaba tanto como Miranda. Era una mujer independiente. Vivía su propia vida cuando yo estaba en el extranjero; tenía su profesión, sus amigos. Era atractiva. Puede que hubiera otros hombres, probablemente los hubo esos últimos dos años. Pero yo no la culpaba por ello, ¿cómo podía hacerlo?

—¿Y tú? ¿Tuviste otras mujeres?

—No, aunque no estoy seguro de que Claire se lo creyera. Yo dedicaba toda mi energía a escribir. Muchos de los otros reporteros salían por las noches a beber y en busca de faldas, pero yo me quedaba en mi habitación y me dedicaba a escribir.

—De modo que eras fiel a Claire —concluí yo. Era la primera vez que mencionaba su nombre, y el hecho de oírlo de mi propia boca me resultaba inquietante, casi como si temiera que la palabra pudiera invocar a su espíritu para que se reuniera con nosotros en el cuarto de estar.

—Fiel a ella, o quizá sólo fiel a mi trabajo.

La voz de Lucinda Williams llenó nuestro silencio unos instantes. En su canción, hablaba de llantas de automóvil sobre una carretera de grava; de cosas dejadas atrás, pero no olvidadas.

—Aquella noche, cuando regresé del hospital, reuní todas mis notas para el libro sobre Kosovo y las arrojé a la chimenea. Encendí una cerilla y observé cómo ardían. No sé por qué se me ocurriría en aquel momento que ese gesto cambiaría las cosas.

Allen hizo una pausa.

—Esta situación con Ruth Kowalsky... Es como si me hubieran ofrecido otra oportunidad para ser un buen padre al ayudar a sacar del río a la hija de otro hombre. No lo vi al principio, cuando Hudson me pidió que cubriese la historia; pero ahora lo veo. ¿Te parece que tiene sentido?

—Sí —respondí, pero estaba pensando en otra cosa: no siempre se tiene una segunda oportunidad.

—Yo era tan arrogante que creía que podía salvar el mundo, pero ahora tengo mejor criterio. Lo más que puedes hacer es encontrar una única buena causa, por humilde que sea, y volcar en ella todas tus energías.

—Eso es lo que dice Luke —indiqué yo—. Para él, esa causa es el Tamassee.

—¿Debido a lo que vio en Biafra?

—Sí.

—Supongo que lo sufrió en primera persona, que la gente se le moría literalmente en los brazos.

—Sí —confirmé yo—, así fue.

—A mí no me ocurrió de esa manera. Las situaciones que yo presencié no las sentí de una manera personal. Siempre tenía la impresión de estar apartado del conflicto, como si existiera una barrera entre las víctimas y yo. Eso era lo que yo trataba de racionalizar. Me comparaba con los trabajadores sociales, o con los médicos de urgencias aquí, en Estados Unidos. Al igual que ellos, yo no podía implicarme emocionalmente. Si lo hiciera, el sufrimiento me abrumaría, y la labor que yo estaba realizando era demasiado importante como para permitir que eso sucediera. Eso me repetía a mí mismo.

—Tal vez te hubiera abrumado. Y, sí, tu labor era importante. La gente tenía que enterarse de lo que estaba ocurriendo allí.

El CD terminó y en la sala de estar reinó el silencio, excepto por el tictac del reloj de madera de castaño colocado sobre la repisa de la chimenea, que mi madre había heredado de mi abuela. El día después del funeral, lo cogí de la habitación de mi padre y lo coloqué sobre mi tocador. No le había pedido permiso, y él nunca dijo una palabra acerca del asunto.

—Pero yo era poco más que un *voyeur*. No me había ganado el derecho a distanciarme emocionalmente. Siempre llegaba después de que se hubieran producido los hechos, e incluso entonces yo no era quien introducía aquellos cadáveres en sus tumbas. Hubo una niña en Kosovo a la que había matado una mina terrestre. Parecía de la edad de Miranda; el mismo cutis, el mismo color de pelo. Tal vez el mismo color de ojos, si hubieran estado abiertos. Yacía en un campo de patatas. Había llovido, se acababa de recoger la cosecha. Buscaron durante una hora por la superficie del barro y debajo de éste hasta que encontraron su pie derecho.

Yo quería decir algo, pero Allen levantó su dedo índice en señal de advertencia.

—Durante unos segundos, me di cuenta de que esa niña podría haber sido mi hija, que aquel era el mundo en el que yo vivía. Cerré los ojos allí mismo, al borde del campo de cultivo, y, por un momento, pensé que no sería capaz de volverlos a abrir. Era algo demasiado horroroso de contemplar. En ese instante comprendí también otra cosa más, algo de lo que yo había sido testigo en Camboya: mujeres que habían visto morir a numerosos familiares y amigos en los campos de exterminio de Pol Pot y que, a fuerza de desearlo, se habían quedado ciegas.

Allen parpadeó, como si acabara de salir de un sueño.

—Y entonces fue como ajustar el enfoque de una cámara. Me dije a mí mismo que aquel no era mi mundo, que aquello no tenía nada que ver con mi realidad. En ese momento, regresó la barrera. Entonces, fui capaz de ver. Pude ver el cadáver de la niña, la búsqueda del pie.

Podía verlo todo, y no me afectaba más que si hubiera estado contemplando una película.

El reloj de la repisa de la chimenea sonó diez veces.

—Pero eso cambió cuando me encontré en el sótano del depósito de cadáveres y puse la mano en la mejilla de Miranda.

Allen me miró.

—¿Entiendes lo que quiero decir? No sólo observé la muerte, sino que la palpé.

Claro que le entendía, porque yo había estado junto a mi madre cuando murió. Yo estaba colocada a un lado de la cama y Ben, al otro. El médico la había visitado por la mañana y nos había anunciado que viviría uno o dos días más, pero a media tarde empezó a faltarle el aire. Mi padre avisó a una ambulancia y luego llamó a la tía Margaret. Sólo permaneció en la habitación hasta que llegó su hermana.

—No soporto verla morir —le dijo—. Me resulta imposible.

Esperó en el porche hasta que todo hubo pasado. Pero la tía Margaret estaba allí con nosotros, hablando a su cuñada con voz tranquilizadora, acariciándole el cabello. Entonces, mi madre exhaló por última vez; fue casi como un suspiro. Levanté su muñeca para buscar el pulso, y el brazo pesaba más de lo habitual, como si la muerte ya hubiera otorgado al cuerpo un peso adicional que transportar.

El azul de los ojos de Allen parecía más brillante, como el azul que se ve cuando arde la leña muy seca. Yo sabía que nunca le había contado a nadie lo que me estaba contando a mí ahora.

—Sí —repuse yo—. Lo entiendo.

—Al sentir al tacto la mejilla de Miranda me di cuenta de que la Biblia tiene razón cuando dice que estamos hechos de barro, porque así estaba mi hija: fría, húmeda y viscosa. La levanté de la mesa del depósito de cadáveres, y al sujetarla percibí su solidez. Y cada cuerpo muerto que yo había visto en Camboya, Ruanda y Kosovo de repente también adquirió solidez. Y eso es lo que ocurre ahora con el cuerpo de Ruth Kowalsky.

Escuché cómo el tiempo avanzaba con un sonido que recordaba a los cascos de caballos sobre una acera; pero no es posible ponerle riendas al tiempo. Avanza sin hacer pausas, y nos arrastra consigo por mucho que deseemos lo contrario.

Ahora Allen también había fijado su atención en el reloj. Una sonrisa irónica le iluminó la cara por un instante.

—Me alegro mucho de que en nuestra primera cita lo pasáramos tan bien, de una manera tan despreocupada. Tal vez la próxima ocasión podamos leer en alto algunos párrafos de *Meridiano de sangre*.

—No he leído el libro.

—Un memorable Cormac McCarthy; es decir, cuatrocientas páginas de desolación imparable. Es como caerse a un pozo sin fondo. Uno sigue pensando que el libro no puede volverse más lúgubre, pero siempre se equivoca.

Allen volvió a consultar el reloj.

—Tengo que irme —anunció.

Nos besamos. Fue un último beso prolongado, y le acompañé hasta la puerta.

—Me gusta —dijo—. Estar contigo, quiero decir. Pero también me da un poco de miedo, como si lo que siento ahora estuviera ocurriendo demasiado deprisa y una parte de mí no se hubiera puesto al corriente todavía.

—Lo sé —repliqué yo, acariciándole el rostro con la mano izquierda—. Donde quiera que esto nos lleve, no hay prisa por llegar.

Cerré la puerta y empecé a recoger la mesa. «No esperes demasiado», me advertí a mí misma. Pero puse otro CD, y mientras lavaba los platos, empecé a cantar al ritmo de la música.

Después de que los médicos de la unidad de quemados del hospital de Columbia hubieron hecho todo lo posible, después de terminar todos los injertos de piel, se vio que no había sido suficiente. Ben tuvo que soportar las burlas y las miradas de sus compañeros de clase, los motes que le ponían, los partidos de béisbol en Secundaria y Bachillerato y los bailes a los que mi padre le obligaba a asistir, las noches que se quedaba en su habitación escuchando canciones que hablaban de cosas que él debía de pensar que nunca experimentaría. Había soportado todo eso, sin reconocer jamás a mi padre, a mi madre o a mí el dolor que sentía.

Y mi padre siempre empeoraba las cosas. Antes de cada nuevo injerto de piel, le decía a Ben que aquella vez todo sería diferente. A pesar de que no sucedía así, mi padre insistía en que todo había cambiado, aunque incluso mientras hablaba se percibía la desilusión en sus ojos. Y a pesar de todo, no podía evitar ponerse furioso cuando encontraba a Ben en su cuarto las noches en las que se organizaba un partido de béisbol o un baile. Se diría que su hijo quisiera quedarse en su habitación sólo para fastidiarle, y mientras tanto mi madre seguía sin decir nada.

Ben nunca le decía a mi padre que se fuera al infierno, ni siquiera se negaba a obedecerle. Cuando yo trataba de salir en su defensa, me decía:

—Déjalo, Maggie.

Y eso me desesperaba aún más.

Recordé los días de verano que mi hermano pasaba en la cueva donde muchos años atrás había vivido gente en la oscuridad, un lugar donde nadie podía verle, ni siquiera él mismo.

Ahora mi hermano estaba al teléfono, y su voz cruzaba dos zonas horarias.

—Tenemos que hablar de papá —precisó.

—¿Te contó que he estado allí?

—Sí, pero no me dijo gran cosa, excepto que sólo te quedaste una noche.

—De manera que no te habló de nuestra pequeña discusión.

La línea telefónica permaneció en silencio unos instantes.

—¿No puedes dejarlo estar, Maggie? —suplicó Ben con un hilo de voz.

—¿Por qué sólo yo? Él tampoco lo hace.

—Se está muriendo —me recordó.

Pensé en la mano de Ben, sujetando el auricular, apretada contra su mejilla llena de cicatrices. Mi hermano decía que ahora era feliz, y yo le creía, porque a pesar de todo lo que había ocurrido, la felicidad y el perdón formaban parte de su forma de ser. Tenía una mujer, y un hijo pequeño, y estaba terminando un periodo de cuatro años de instrucción militar. Una vez que se hubo alistado en el ejército, se sometió a nuevas intervenciones de cirugía plástica y las cicatrices se notaban menos. Ahora había que mirar atentamente para darse cuenta de que su rostro no estaba marcado por el acné, sino por agua hirviendo.

—¿Me escuchas, Maggie? —preguntó Ben.

—Sí. Pero no se trata sólo de él y de mí. Se trata de cómo se portó contigo.

—Estaba enfadado consigo mismo, le desesperaba no poder hacer nada para mejorar mi situación.

—De modo que si no se puede mejorar algo, se empeora.

—Ya hemos hablado del asunto otras veces. No podía evitarlo. Yo lo sabía incluso de niño, Maggie. Y creo que tú también.

—Sí que podía evitarlo —repliqué yo—. Podría haber pensado menos en sus propios sentimientos y más en los tuyos. Pasó lo mismo con el cáncer de mamá.

—A veces es necesario perdonar a la gente... —dijo Ben.

—Puede que yo no sea como tú —interrumpí—. Puede que yo no sea tan buena persona.

—No se trata de ser bueno o malo —observó Ben—. Se trata de tener miedo de lo que puedes llegar a sentir si el dolor y la rabia desaparecen.

—Creí que tus clases nocturnas eran sobre negocios, hermanito, no sobre psicología.

Por unos momentos, escuchamos un silencio que se extendía a través de un continente.

—Bueno, ¿por qué me has llamado exactamente?

—Ayer hablé con el doctor Rogers —explicó Ben—. Considera que papá va a necesitar ayuda en otoño. Yo saldré del ejército a finales de octubre. Se suponía que iba a aceptar un empleo aquí, para una compañía de seguros. He hablado con ellos, y pueden guardarme el puesto hasta enero. Lee Ann se quedará aquí con el niño mientras yo cuido de papá. Pero puede que él viva más tiempo de lo que creen los médicos, o que empeore antes.

—Y si eso ocurre, quieres que me encargue de atenderle.

—Sí. La tía Margaret es demasiado mayor para encargarse ella sola.

—¿Y si no lo hago?

—Le internarán en el hospital o en un asilo. Ya sabes que no quiere. Como le pasaba a mamá.

—No puedo comprometerme.

—¿No puedes, o no quieres...? ¿Y bien? —añadió Ben cuando yo no respondí.

—Aquí es tarde, Ben —dije—. Y mañana tengo un día muy ocupado. Saluda a Lee Ann de mi parte.

La tarde en que Luke vino a la casa por primera vez, mi padre y yo nos hicimos todo el daño que pudimos mientras mi madre se moría en la habitación de al lado. Pusimos voz a todos los pensamientos de despecho y de odio que guardábamos para el otro en nuestro interior. En pocos minutos, dimos rienda suelta a lo que habíamos ido acumulando durante años.

Sin embargo, nuestros corazones no llegaron a vaciarse. Fue como si hubiéramos calculado mal lo que podíamos decirnos mutuamente y aún nos quedara el suficiente resentimiento para tapar algo que yacía en lo más profundo, aquello que sólo podía ser expresado con palabras de reconciliación y perdón, palabras que admitirían nuestros vínculos de sangre, de familia y, por mucho que deseáramos lo contrario, de amor. Palabras tan aterradoras que decidimos sellar nuestros labios, no arriesgarnos a articular una sola sílaba de ese idioma diferente. Porque ambos nos dábamos cuenta de que una vez que se abre la boca para pronunciar esas palabras, también se abre el corazón. Se abre de par en par como la puerta de un granero y se quitan las bisagras, y entonces cualquier cosa puede salir o entrar. ¿Acaso existe algo más aterrador?

Ben había hecho lo mismo. Durante todos esos años, nunca había dado voz al dolor que sentía, ya fuera provocado por otro injerto de piel o por la crueldad de un compañero de clase. Tal vez era eso lo que ocurría a las personas que crecen entre montañas que las dejan atrapadas, las mantienen dentro de sus confines, las separan del resto del mundo. ¿Cuánto tiempo transcurría hasta que aquel paisaje se interiorizaba, se pasaba de generación en generación, como el grupo sanguíneo o el color de los ojos?

De modo que aquella tarde de domingo sólo pronunciamos la clase de palabras con las que nos sentíamos cómodos, y así también ocurrió en los días y meses que siguieron. Habían pasado nueve años, e inevitablemente cualquier otro idioma se había convertido en extraño, intraducible.

Capítulo 7

El martes por la mañana, me fui directamente a la Casa del Gobernador a fotografiar la última protesta en contra de que la bandera confederada ondease en los terrenos del Capitolio. Cuando regresé a la oficina, me esperaban treinta correos electrónicos. El primero era de Allen, que se encontraba en Cheraw. Se había desplazado hasta allí para cubrir el testimonio de una mujer que aseguraba ser la hija secreta de Elvis Presley y Marilyn Monroe.

Me alegré de que hubiera aceptado el trabajo. Una buena dosis de excentricidad sureña le ofrecería un respiro de la historia sobre la que acababa de escribir y que continuaría el viernes, cuando regresáramos al condado de Oconee para asistir a la segunda asamblea.

«Estaré de regreso en Columbia para el mediodía del viernes, de modo que podemos salir hacia las dos de la tarde», decía el correo electrónico de Allen, «a menos que esta mujer me entregue de repente el certificado de nacimiento de Elvilyn Presley que, según ella, se encuentra oculto en la caja fuerte del Palacio de Justicia de Memphis. De ser así, puede que me retrase un poco».

Pinché en los otros mensajes, casi todos los cuales me felicitaban por la fotografía, incluido el de una redactora jefe del *Charlotte Observer*, que me solicitaba que le enviase mi currículum. En último lugar, leí el correo procedente de lmiller@tamassee.org. No llevaba asunto, ni saludo de introducción.

«Contaba con la postura de Hemphill, pero tú me has decepcionado. Tú sí entiendes lo que está en juego, o acaso debería decir que una vez lo entendiste. Mucha gente ha dedicado una parte importante de su vida a salvar el Tamassee, y acabas de traicionar a todas esas personas. Es el último río de flujo libre de este estado. ¿Es mucho pedir que un único río en toda Carolina del Sur no sea transformado en un lago o en un sumidero al descubierto? Sólo uno, Maggie, sólo pedimos que dejen en paz a un único río. ¿Es nuestra actitud tan radical, tan intransigente?»

Leí el mensaje otra vez. Directo y contundente, al clásico estilo de Luke. A mi pesar, esbocé una sonrisa al recordar la primera vez que fui objeto de la franqueza sin paliativos de Luke. Era el verano posterior a mi primer año de universidad en Clemson. Estábamos en Mama Tilson's porque mi madre no se encontraba con fuerzas para cocinar. Yo había llegado directamente de mi empleo temporal, plantando macetas en el vivero de Ellis Gillespie, y me había lavado la cara y las manos en el cuarto de baño del café, pero aún tenía barro en el interior de las uñas y mis vaqueros y camiseta estaban llenos de lamparones.

—Ése es el buscabullas al que han dado una paliza —indicó mi padre al tiempo que señalaba con la cabeza hacia la barra, en uno de cuyos taburetes se sentaba un hombre—. Cualquiera en su sano juicio se habría marchado con el rabo entre las piernas después de una tunda como esa.

La cara del hombre estaba llena de heridas y moratones. Varios puntos de sutura pespunteaban el oscuro corte en forma de media luna que le atravesaba la barbilla. «Así que ése es Luke Miller», pensé, porque había oído hablar de él y no sólo a mi padre, sino también a otras personas, como Billy, que le admiraban. No parecía importarle que ahora varios de los presentes le clavaran miradas de odio, entre ellos, mi padre. Y me impresionó el hecho de que le importase un bledo, que no le asustara la posibilidad de que Harley o algún compañero suyo se encontrara por allí.

Cuando terminamos de comer, me dirigí al lavabo mientras mi familia salía al exterior. Al pasar por la barra, me detuve y le dije a Luke lo mucho que admiraba el esfuerzo que estaba haciendo para salvar el Tamassee. Me respondió con brusquedad, alegando que la admiración no servía para nada, que si de veras quería ayudar al río más me valía ir al centro comunitario al día siguiente, a las diez, para escribir direcciones en los sobres.

Billy y unos cuantos vecinos más acudieron aquel sábado, así como algunas personas de mediana edad e incluso mayores procedentes de lugares tan lejanos como Columbia y Atlanta. También estaban, cómo no, los seguidores de Luke, los «ratas de río», que no vestían pantalones cortos de colores brillantes, camisas de polipropileno o sandalias con suela de caucho como harían años más tarde, sino vaqueros cortados, camisetas sin mangas y zapatillas deportivas. Los hombres tenían el pelo largo, y se dejaban crecer la barba con desigual acierto. Las mujeres también llevaban melena; no se ponían sujetador y, al igual que sus compañeros, ostentaban bronceados músculos debido a las largas jornadas remando por el río. Luke deambulaba entre nosotros, distribuyendo listas de direcciones, sobres y sellos.

Todos se habían enterado de lo ocurrido, pero una serie de personas de las allí presentes no habían visto a Luke desde antes de que Harley Winchester le hubiera propinado la paliza. Observaban con atención su cara magullada, la forma en la que su costilla rota le hacía respirar ligera y rápidamente, como un animal jadeante. Pero lo que más me llamó la atención fue que, al contrario de mi padre, la gente que se había reunido aquella mañana de sábado no se sorprendió de que Luke estuviera allí. Uno de sus seguidores dijo en voz alta que el cuerpo herido de Luke demostraba que nada, salvo la muerte, le impediría luchar por salvar el Tamassee.

Levanté los ojos de la pantalla del ordenador. No había razón para responder al correo de Luke. Pulsé la tecla BORRAR y cerré el programa.

Estaba comiendo la barrita de cereales que iba a servirme de almuerzo cuando Lee Gervais se acercó con la primera plana del periódico en la mano. Mi fotografía ocupaba la esquina inferior derecha, y los primeros seis párrafos del artículo de Allen se situaban a su izquierda. «El dolor de un padre», rezaba el pie de foto. UN PADRE SE ENFRENTA AL RÍO Y A LA LEY PARA LLEVARSE A CASA A SU HIJA, era el titular del artículo.

Lee dobló el periódico de modo que recordaba al testigo de una carrera de relevos. Lo sujetó en la mano derecha y lo agitó como para enfatizar sus palabras.

—Ya hemos obtenido más respuesta con esto que con cualquier otra noticia desde hace meses, incluida la maldita controversia de la bandera. Han llamado esta mañana de la oficina del senador Jenkins. Aseguran que el senador hará todo lo posible para ayudar a Kowalsky a recuperar a su hija. La agencia Reuters también acaba de llamar; nos han pedido el artículo y la fotografía.

Lee esbozó una amplia sonrisa.

—Estás en el candelero, muchachita.

—Ah, ¿sí?

—No lo dudes. Apuesto a que otras publicaciones pedirán también la foto, puede que incluso alguna que otra revista.

—No sé muy bien como funciona eso; nunca antes he tenido que preocuparme.

—Como poco, obtendrás crédito fotográfico —explicó Lee—. Si alguna publicación como *Newsweek* la solicita, te pagarán un par de cientos de dólares. También podría traer consigo una subida de sueldo.

—¿Quieres decir que podré comprarme ese Volvo que he deseado toda mi vida?

—Bueno, si no puede ser, por lo menos podrás permitirte un silenciador nuevo para tu Escort. —Lee señaló el periódico con la cabeza—: Hudson es un hombre feliz. Por fin ha conseguido que Hemphill escriba algo de importancia. Es lo mejor que podía pasarnos a todos.

Las flores de los cerezos silvestres ya no iluminaban los bosques mientras ascendíamos por el monte Stumphouse. Las hojas ovaladas se mezclaban con las de los árboles circundantes. Los guillomos florecían junto a la carretera, intercalados con los capullos púrpura y amarillos del penstemon y el zuzón. Junto a una de las cruces se hallaba un jarrón con violetas recién cortadas.

Bostecé, lo bastante alto como para que Allen girase la vista hacia mí. Había dormido muy poco la noche anterior. Las tres de la madrugada es la hora de la incertidumbre, y daba la impresión de que el correo electrónico de Luke se me había quedado grabado en la mente. Con la excepción de la parada que efectuamos en un McDonald's cerca de Greenville, me había pasado casi todo el viaje con los ojos cerrados.

—Siento haber estado durmiendo todo el camino —dije—. Anoche no dormí mucho.

—Yo tampoco —repuso Allen—. Kowalsky me llamó a las once. No sé cómo, consiguió seguirme la pista hasta Aiken. Ya le han llegado llamadas de apoyo por parte del senador Jenkins y del Gobernador, y su congresista está volando desde Washington para asistir a la asamblea. Jenkins y el Gobernador van a enviar una representación.

Allen esbozó una sonrisa.

—Kowalsky me dijo que el artículo ha conseguido que la gente se dé cuenta de lo que está ocurriendo por estas tierras, pero que tenemos que seguir presionando al otro bando.

—¿Tenemos? —me extrañé—. ¿Acaso estamos ahora del lado de Kowalsky?

—Son sus palabras, no las mías. En mi artículo, he intentado ser imparcial. No he descrito a Luke como un ser maléfico, ni he criticado el trabajo de la Patrulla de Búsqueda y Rescate o el Servicio Forestal. ¿Tan mal está demostrar un poco de compasión por ese hombre?

Por primera vez desde que le había conocido, noté un tono de irritación en la voz de Allen, irritación dirigida hacia mí.

—No, en absoluto —respondí.

—Me dirijo a las montañas para acabar de cubrir una historia, y no para actuar de altavoz de nadie. Pero, efectivamente, si tengo que elegir un bando, me quedo en el de Kowalsky.

—Lo siento —dije yo, poniéndole una mano en la muñeca—. No estaba criticándote.

Allen suavizó el tono de voz.

—Hoy estoy un poco a la defensiva. Anoche, una mujer me dejó un mensaje en el contestador automático. Me acusó de estar intentando destruir el Tamassee sólo porque no puedo superar la muerte de mi hija.

—Eso es una crueldad.

—Pero puede que sea cierto. La otra noche te dije más o menos lo mismo.

Ya estábamos cerca de la cima del Stumphouse, a unos setecientos metros por encima del nivel del mar. En los bosques, unas cuantas flores de cerezo silvestre se aferraban a las ramas como estrellas al cielo del amanecer.

—Tengo otra pregunta que hacerte —dije.

Allen me miró con cierta cautela.

—Oigámosla —repuso él.

—¿A quién se parece Elvilyn, a su padre o a su madre?

—Sin lugar a dudas, a su madre —respondió Allen—. Como ella, lleva el pelo teñido de rubio platino.

—He ahí la prueba definitiva.

—Estoy de acuerdo —dijo Allen—. Ver para creer. —Se soltó de mi mano para consultar el reloj—: Menos mal que hicimos esa parada para comer. Apenas nos queda tiempo para registrarnos en el motel antes de ir a la asamblea.

Pasamos junto al cartel que anunciaba la urbanización Laurel Mist. Alguien había tapado con masilla los agujeros de bala en la imagen del ciervo.

—Ahora tengo yo una pregunta —indicó Allen—. Si estás licenciada en Lengua Inglesa, ¿por qué utilizas una cámara en lugar de un procesador de textos? ¿Fue una elección estética o filosófica?

—Más bien un deseo de encontrar trabajo, por lo menos al principio —respondí—. Mi primer jefe solía decir que mi prosa era demasiado florida, que si pensaba imitar a algún escritor famoso debería escoger a Hemingway, en vez de a Faulkner. No iba descaminado. Una vez empleé tres párrafos para describir el interior del club de golf local, cuando él quería doscientas palabras sobre los últimos datos de afiliación.

—De modo que no nos consideras a los obreros de la pluma como inferiores.

—En absoluto —respondí—. Eres tú quien hace juicios de esa categoría.

Allen soltó un gemido.

—Ya te dije que fue una indiscreción de juventud.

Admitiré aquí y ahora que ha habido ocasiones en las que las imágenes han resultado más verdaderas que las palabras. ¿Acaso tengo que firmar un juramento de sangre para convencerte?

—No, sólo dame un ejemplo concreto.

—La Guerra Civil. Si uno acude a los relatos en primera persona que publicaban los periódicos, se diría que ambos bandos se habían pasado cuatro años jugando al béisbol en el campo de batalla. Las fotografías de Matthew Brady captaron lo que sucedió en realidad.

—¿Cómo la del francotirador rebelde muerto en Gettysburgh?

—Exacto —replicó Allen.

—Esa fotografía fue un montaje.

—¿Qué quieres decir?

—Ese hombre murió en un campo de cultivo. Trasladaron su cadáver hasta el puesto de un tirador emboscado. Ni siquiera encaja el arma, porque es un rifle de infantería, y no de francotirador.

—No tenía ni idea —dijo Allen—, pero aun así puede argumentarse que el horror de esa guerra fue verdadero, más que todos esos relatos «objetivos» de los corresponsales. Brady capturó la verdad esencial. El soldado estaba muerto; había perdido la vida siendo joven y de forma violenta. Brady no se inventó eso.

—¿Y tú mismo aceptarías ese argumento?

—Sí —respondió mientras pasábamos junto a la tienda de Billy—. ¿Tú no?

—Creo que sí —respondí.

Treinta minutos antes de que comenzase la segunda audiencia pública ya se habían ocupado todas las sillas del centro comunitario. Varios operadores de cámara de canales televisivos de Charlotte y Columbia estaban instalados en los rincones del fondo. Tres docenas de periodistas sujetaban blocs de notas en las manos y se habían colocado sus grabadoras en las rodillas, y un número similar de fotógrafos se entremezclaba entre ellos. Junto al atril habían colocado una mesa alargada y detrás de ella, varias sillas plegables de metal. Las dos placas colocadas sobre la mesa rezaban: WALTER PHILLIPS, GUARDABOSQUES DE DISTRITO y DANIEL LUCKADOO, SUPERVISOR FEDERAL DE BOSQUES.

Phillips se encontraba de pie a un lado, hablando con Myra Burrel. Lee no me había pedido fotografías de Phillips, pero yo las había revelado de todas formas y luego coloqué las fotos sobre un escritorio como si se tratara de una ronda de reconocimiento de la policía. «Que el verdadero Walter Phillips dé un paso al frente», dije. Y una de las fotografías, la de la perspectiva más amplia, pareció obedecerme.

Eran las manos, la manera en la que apretaba los puños como un hombre dispuesto a levantarse y luchar si le provocaban lo suficiente. Pero ¿qué era lo suficiente? Mientras observaba a Phillips hablando con Myra Burrel, me pregunté si aquella noche lo averiguaría.

A las siete menos cinco, Phillips y Luckadoo se sentaron detrás de sus placas. Myra Burrel ocupó la tercera silla.

Yo había visto a Daniel Luckadoo por última vez siete años atrás, en una ceremonia organizada por el Observatorio de Bosques. Ahora tenía el cabello cano y se acercaba a la jubilación. Por su actitud, resultaba obvio que lamentaba no estar jubilado ya, deseaba no encontrarse allí, sino sentado en un porche cubierto, saboreando una copa después de la cena. Pero antes de que pudiera conseguir su reloj de oro, su casa junto a un lago y su mecedora, se había visto obligado a acudir a Tamassee a hacer las veces del rey Salomón.

Me giré hacia Allen.

—Una vez concluida la asamblea, ¿cuánto tiempo tardará Luckadoo en tomar la decisión?

—Kowalsky dijo que la dará a conocer mañana por la mañana.

—¿Qué crees que hará?

—Dará su permiso. Le están presionando mucho en ese sentido, empezando por el Gobernador. Luckadoo parece un hombre de los que saben apreciar los beneficios de la obediencia.

Asentí en silencio. Luckadoo había sido nombrado Supervisor de Bosques por un gobernador a quien no le habría importado lo más mínimo que se arrasaran todos los árboles del estado. Con el paso de los años, las actuaciones de Luckadoo, sobre todo con respecto a la deforestación, dejaron en evidencia que compartía la filosofía de su superior.

Allen señaló con la cabeza la primera fila, donde se sentaba Kowalsky. Brennon se hallaba a su lado, hablando con el único hombre que vestía traje y corbata de toda la sala. Al otro lado de Kowalsky se encontraba una mujer a la que yo no había visto antes.

—Consideran que es un hecho consumado. Brennon ya ha traído en avión el dique, así como los hombres y el material necesario para levantarlo. Otro motivo más de presión para Luckadoo.

—Es verdad —convine yo, volviendo la vista hacia la esquina donde el *sheriff* Cantrell y Hubert McClure se encontraban de pie—. Pero a alguien se le debe haber ocurrido que esto no iba a ser pan comido; para algo está la ley.

Noté que una mano me agarraba el hombro con firmeza.

—¿Orgullosa de la que has armado, Maggie? —preguntó Luke.

—Yo no tengo la culpa de que esa niña esté en el fondo del río —respondí, más a la defensiva de lo que me hubiera gustado.

—No —coincidió Luke—, pero les has dado un motivo para sacarla de allí.

Se dio la vuelta y se marchó antes de que yo pudiera replicar.

Había gente apoyada a lo largo de las paredes, sentada en los pasillos y apiñada junto a la puerta. Mi fotografía había contribuido a abarrotar aquella sala. Observé cómo Luke avanzaba hacia la primera fila, donde Carolyn le había reservado un sitio.

—Empiezo a pensar que Maggie no es una simple aficionada —había comentado Luke en aquella misma sala ocho años atrás. Aquella mañana era el cuarto sábado seguido que yo había acudido al centro comunitario, y las palabras de Luke sirvieron para confirmarme a mí y a los demás que me había convertido en uno de ellos.

No era sólo mi deseo de ayudar a salvar el río lo que me impulsaba a unirme a ellos todos los sábados. Luke Miller era un hombre atractivo, circunstancia que no sólo yo percibía. Empecé a arreglarme como las demás chicas, con camisetas y vaqueros cortados, con el pelo recogido en coletas y ausencia total de maquillaje. Antes de que mi padre me prohibiese coger el camión para acudir a las reuniones, me quitaba el sujetador en el trayecto entre la casa y el centro comunitario y lo escondía en la guantera.

El fin de semana anterior a mi regreso a Clemson, Luke me preguntó si me apetecía montar en canoa. Él conocía a la perfección cada cambio de corriente, cada nivel de profundidad, cada obstáculo de madera y cada roca. Sabía por dónde acceder a cada una de las vías fluviales. Los seguidores de Luke me habían contado que, a veces, recorría el río en kayak en plena noche, y yo di por hecho que se referían a noches claras, con luna llena y cielo estrellado. Pero a medida que nos dirigíamos corriente abajo aquel sábado de agosto, caí en la cuenta de que no habría necesitado luz, de que podría navegar el río con los ojos cerrados.

Nos detuvimos y tomamos el almuerzo. Cuando terminamos, Luke me cogió de la mano y subimos caminando por la orilla del arroyo de Lindsey hasta una cascada que se desplomaba sobre un remanso tan amplio y profundo como un carromato de paja. Luke alargó el brazo por detrás de la cascada y sacó un deteriorado cazo de hojalata. Lo llenó de agua y se puso a beber.

—¿No te da miedo que te siente mal? —pregunté.

—No; esta agua proviene de tres arroyos, y los tres atraviesan zonas de bosques. Es el agua más pura de todo el estado. —Volvió a llenar el cazo y me lo entregó—: Como dijo el poeta: «Bebe y regresa a tus raíces».

El agua estaba tan fría que me dolieron los dientes. Luego, nos sentamos sobre el musgo fresco y mullido de la orilla.

—Éste es mi lugar preferido de todo el río —comentó Luke—. A veces me paso aquí tardes enteras.

—¿Vienes solo, normalmente? —pregunté.

—Normalmente, sí —respondió Luke.

Me había soltado la mano cuando nos sentamos, y no había hecho amago de volver a cogerla. Estaba sentado con las rodillas pegadas al pecho. Yo me recosté sobre los codos, con la palma de la mano izquierda hacia arriba y a poca distancia de su cadera. Luke señaló una planta verde y brillante al otro lado del remanso.

—¿Sabes qué es?

La planta estaba rodeada por arbustos de laurel de montaña, y pensé que podía tratarse de un retoño. Pero no quise arriesgarme a hacer una suposición, por si me equivocaba y quedaba como una ignorante.

—No —respondí.

—Campanilla de Oconee —respondió Luke, cogiéndome la mano—. Cuando construyeron el pantano de Jocassee, destruyeron dos terceras partes de las campanillas de Oconee de todo el mundo. Piensa en eso. En el mundo entero.

Me acerqué a él.

—Al menos las de por aquí estarán a salvo a partir de ahora —comenté yo, porque a mediados de agosto el

Congreso había declarado al Tamassee Río Salvaje y Paisajístico. No queríamos confiarnos demasiado y seguíamos enviando peticiones y cartas, pero todo apuntaba a que el Senado votaría a nuestro favor.

Levanté la mano derecha de Luke con mi mano izquierda, me la llevé a los labios y la besé.

—¿Tomas la píldora? —me preguntó.

—No —respondí yo, tratando de no revelar mi sorpresa ante la pregunta.

—Llevo un condón en la mochila.

—Creo que no... —dije yo, y me detuve ahí. Lo intenté de nuevo—: No puedo, yo nunca...

Luke se echó a reír.

—Me sorprendes, Maggie Glenn. Me imaginaba que a estas alturas alguno de esos universitarios de Clemson te habría convencido para llevarte a la cama. Probablemente, alguno lo habrá conseguido, pero debes de ser una de esas «vírgenes en teoría», ¿no es verdad?

Me alegré de que nuestras manos me ocultasen buena parte de la cara porque las mejillas me ardían, no tanto por las palabras mismas sino por la verdad que encerraban. Era como si Luke hubiera estado presente en aquellos dormitorios, en aquellos asientos traseros de coches siendo testigo del torpe manoseo a tientas, de los comienzos e interrupciones. A pesar de los dos años que llevaba estudiando en Clemson, aún suscribía las reglas de las hembras del condado de Oconee, un código abandonado en los años sesenta en la mayoría del territorio estadounidense pero que aún se practicaba y se hacía cumplir en casi todo el Sur rural. A primera vista, era muy simple: una mujer debía llegar virgen al matrimonio. Ahora bien,

¿en qué consistía la virginidad, exactamente? Esa confusa frontera entre el juego sexual y la penetración era una cuestión de complejidad bizantina.

Pero Luke no estaba interesado en poner a prueba los límites de semejante código. Se levantó, tirando de mí al mismo tiempo. Me soltó la mano.

—Si cambias de opinión, dímelo.

Su tono era pragmático, se apreciaba incluso un cierto toque de humor, todo lo contrario a la exasperación con la que yo me había encontrado en las escaramuzas sexuales en las que había participado hasta el momento. Me dije a mí misma que aquella actitud suya era lo que diferenciaba a un hombre maduro de un adolescente; lo que venía a demostrar lo poco madura que era yo.

Cuatro semanas después, llamé a Luke desde Clemson y le dije que me gustaría volver a recorrer el Tamassee en canoa. Él comprendió el mensaje al instante.

—Tendrá que ser este fin de semana —me dijo—. La semana próxima me voy a Florida a ayudar a una amiga. Está intentando conseguir la declaración del Suwannee como Río Salvaje y Paisajístico. Ella me echó una mano con el Tamassee, y ahora estoy en deuda.

Nos lanzamos al agua el sábado por la mañana, muy temprano. La niebla que ascendía del río se enredaba en las copas de los árboles que bordeaban las orillas. En Clemson, el verano no había terminado aún, pero en las montañas el otoño ya había comenzado. Las hojas empezaban a caer y el aire estaba tan fresco que hasta que no hubimos remado un kilómetro no me quité la sudadera.

Por fin, la niebla se fue desvaneciendo y dejó paso al sol. Para entonces, nos encontrábamos en un tramo donde tupidas alamedas jalonaban las orillas. A medida que desaparecían los últimos retazos de niebla, las hojas amarillas de los álamos, iluminadas por los rayos de sol, brillaban como mechas de lámpara colocadas boca arriba. El aire se notaba electrizado y lleno de vida, como cuando un rayo atraviesa el cielo antes de que rompa a llover. Aunque nos encontrábamos en aguas tranquilas, el pulso del río parecía acelerarse. Todo a nuestro alrededor refulgía bajo la luz dorada. Por primera vez en mi vida contemplé el río de la manera en la que Luke lo veía.

Un predicador de la Iglesia de Dios de Mountain View nos había tachado de «falsos profetas» que venerábamos la naturaleza en lugar de al Creador, como si aquella no formara parte de Él. En el centro comunitario, bromeábamos diciendo que éramos fanáticos religiosos; los hombres se ponían entre sí apodos de santos, y nosotras, las mujeres, añadíamos «Magdalena» a nuestros nombres de pila. Pero Luke nunca se unía a nuestras burlas.

Aquella mañana de septiembre entendí su seriedad, supe que para él lo que intentábamos salvar tenía carácter sagrado, porque no sólo me hallaba en presencia de algo sacrosanto y eterno, sino que por unos instantes me encontré formando parte de ello. «Momentos de revelación», era la expresión que Wordsworth empleaba para tales ocasiones. Pero las palabras del poeta me resultaban insuficientes, porque lo que yo sentía se encontraba por encima de cualquier vocablo que se hubiera empleado jamás. Decidí que se necesitaría un lenguaje totalmente nuevo, lo que me trajo a la memoria la imagen de los devotos de la confesión religiosa en la que yo había sido educada. A veces, creían que el Espíritu Santo les infundía el don de lenguas y se retorcían en los bancos de la iglesia y en los pasillos, contorsionaban el cuerpo como si a la fuerza les fueran arrancando palabra a palabra de sus corazones; pero nadie entendía lo que decían, ni siquiera ellos mismos.

Avanzamos remando corriente abajo. El cielo azul se extendía por encima del precipicio y el sol calentaba el río, por lo que las larvas color pardo de las frigáneas moteaban algunos remansos.

—¿Hasta cuándo vas a quedarte en Florida? —pregunté.

—Probablemente hasta el final de la temporada de piragüismo.

—No sabía que ibas a estar tanto tiempo —dije, y debí de sonar un tanto desilusionada porque Luke soltó una carcajada.

—Da la impresión de que vas a echarme de menos.

—Es verdad —confirmé yo.

—Bueno, tendrás mucho tiempo para estar conmigo el verano que viene. He hablado con Earl Wilkinson, y está de acuerdo con que trabajes con nosotros como fotógrafa a partir de mayo. No te harás rica, pero ganarás lo mismo que plantando macetas. Si es que te interesa el empleo, claro está.

—Sí —respondí yo—; me interesa.

—Estupendo —dijo Luke—. Se lo diré.

No volvimos a hablar hasta que llegamos al punto en el que el arroyo de Lindsey entraba en el Tamassee. Mientras salíamos de la canoa, agarré la mochila de Luke, que él había dejado en la proa, y me la eché al hombro.

Walter Phillips se subió al estrado a las siete en punto. Presentó a Luckadoo y estableció las reglas de procedimiento: cinco minutos por persona, y cualquiera que causara alboroto sería expulsado de la sala y arrestado.

De nuevo, Kowalsky tomó la palabra en primer lugar, y vino a repetir más o menos lo mismo que en la asamblea anterior, con el mismo tono abrasivo, antes de presentar al hombre del traje como su congresista. El miembro del Congreso estrechó la mano de Kowalsky y luego habló brevemente, haciendo hincapié en que al apelar para que se permitiera la construcción del dique no sólo se representaba a sí mismo y a la familia Kowalsky, sino también a toda la población de Minnesota. Cuando terminó, el ayudante del senador Jenkins expresó la simpatía de su superior por los Kowalsky así como su total apoyo para recuperar el cuerpo de su hija. El representante del Gobernador se adhirió a la petición. Brennon también tomó la palabra, insistiendo en que el impacto medioambiental sería mínimo.

Después le llegó el turno a Luke, que volvió a leer varios párrafos de la legislación sobre Ríos Salvajes y Paisajísticos. No miró a Kowalsky ni a Phillips, ni a ninguna persona del público. Cuando levantó la vista de los papeles que acababa de leer, clavó la mirada en Luckadoo; pero los ojos de éste no se movían del reloj de pulsera que había colocado sobre la mesa, y aunque sostenía un bolígrafo en la mano, no escribió una sola palabra mientras Luke exponía sus argumentos.

—Sus cinco minutos han terminado —anunció, mirando a Luke por primera vez desde que había empezado a hablar.

Billy se encontraba en la fila anterior a la mía. Se giró hacia atrás.

—Luckadoo ni siquiera se ha molestado en aparentar que escuchaba —dijo Billy—. Esto va de mal en peor.

La asamblea estaba a punto de concluir y hasta el momento ningún vecino de la localidad había tomado la palabra.

Yo no había visto a mi padre hasta que se levantó lenta e inestablemente de su silla en la segunda fila, apoyándose en el hombro del hombre sentado junto a él. No podía verle la cara, pero llevaba el cabello limpio y peinado. Vestía el único traje que tenía.

—No debería haber venido —murmuré—. Está demasiado enfermo.

—¿Quién? —preguntó Allen.

—Mi padre.

Sacó un pañuelo del bolsillo posterior del pantalón y se lo pasó por los labios. Tiempo atrás, había sido capaz de llenar el desván de un granero con balas de paja en una sola tarde, había sido un hombre lo bastante fuerte como para acarrear de dos en dos los sacos de fertilizante de cincuenta kilos; pero ahora el esfuerzo de levantarse de una silla le dejaba sin aliento. Yo me resistía a sentir lástima por él, pero no podía apartar la vista.

—Mi sobrino Joel es quien debería decir esto, pero ha decidido lavarse las manos en este asunto —dijo mi padre, paseando la vista por la sala—, de manera que yo hablaré en su lugar. Si sólo se trata de perforar unos cuantos agujeros en el lecho del río, que se haga de una vez; pero también hay que tener en cuenta la seguridad. He vivido sesenta y seis años en este río. Lo conozco; Joel lo conoce, y los demás de la Patrulla de Búsqueda y Rescate lo conocen. Un verano, hace unos cuantos años, nueve personas se ahogaron en el Tamassee. Sólo en ese verano. La cosa llegó hasta tal punto que colocaron una red bajo el puente de Holder para atrapar los cadáveres.

Mi padre hizo una pausa para volver a secarse la saliva de la boca. Se giró en mi dirección y vi que también llevaba camisa blanca y corbata. De pronto se me ocurrió que la próxima vez que vistiera aquella ropa podría ser en su ataúd. Me pregunté si él había pensado lo mismo.

—Esos muchachos saben lo que hacen, y se han esforzado todo lo posible por sacar del agua el cuerpo de la niña. Quien diga lo contrario, se equivoca.

Hizo una pausa de nuevo.

—Todos cometemos errores, y a veces tenemos que pagar un alto precio por ellos. Esa niña cometió un error al intentar cruzar el río, y pagó el mayor precio de todos. Ella no sabía lo peligroso que era el río, pero ahora todo el mundo está advertido. Asegúrese de que ese dique funcione, señor Brennon, porque con el Tamassee no se puede jugar.

El hombre sentado al lado de mi padre le ayudó a sentarse.

—¿Eso es todo? —preguntó Luckadoo mientras recorría la sala con la mirada—. Si es así, procedo a conceder los últimos cinco minutos a la madre de Ruth Kowalsky.

La señora Kowalsky subió al estrado y se colocó detrás del atril. Llevaba un vestido negro que le llegaba casi hasta los tobillos, y me pregunté si, al igual que mi padre, también vestía de luto.

Era una mujer alta, delgada y de mediana edad que aún conservaba su belleza, con la única concesión de unas cuantas arrugas alrededor de los ojos y la boca. Su cabello era rubio, con mechas; el corte y el peinado resultaban impecables y sin duda habían costado una buena suma de dinero. Pero aquella hermosura parecía tan frágil como la cáscara de huevo. Por la manera vacilante en la que caminó hasta el atril podía decirse que algo se había roto en su interior.

—Mierda —protestó uno de los seguidores de Luke, sentado junto a él. No había hablado en alto, pero en la sala reinaba tal silencio que su exclamación sonó como un grito.

—Me llamo Ellen Kowalsky, y soy la madre de Ruth —comenzó—. Mi marido no quería que asistiese a esta asamblea, pero no tenía más remedio. Ustedes no conocían a Ruth, por eso voy a hablarles de ella, porque quizá si soy capaz de expresar cómo era nuestra hija, entenderán por qué es tan importante para nosotros llevarla a casa, darle un entierro apropiado.

Ellen Kowalsky hablaba con lentitud, pronunciando las palabras con sumo cuidado, haciendo que cada una de ellas resultase indecisa, compleja. No miraba a la audiencia, sino que mantenía la mirada en alto y clavaba los ojos en la pared del fondo, como si la estuviera escalando y cada palabra que mencionaba fuera otra clavija de alpinista más.

Pensé que no conseguiría terminar su discurso, porque sus ojos ya estaban inundados de lágrimas. La imaginé lanzándose al remanso situado bajo la cascada del acantilado del Lobo, agitando las manos frenéticamente para localizar a su hija mientras se movía por el fondo del río hasta que se veía obligada a salir a la superficie. ¿Qué habría pensado ella, o le habría dicho a su marido cuando éste le impidió arrojarse al agua por tercera vez? ¿Le habría suplicado ella que le permitiera hacerlo? ¿Se habría intentado liberar de los brazos de él?

Intenté imaginar lo que sería observar cómo mi propia hija era arrastrada por la corriente. ¿Cuántas noches me despertaría en la oscuridad, jadeando, mientras la imaginaba intentando respirar? ¿Con qué frecuencia me recordaría a mí misma que de haber decidido ir a Grandfather Mountain o a Ashville, mi hija seguiría viva?

No, no conseguía hacerme a la idea de lo que aquellos momentos habían sido para Ellen Kowalsky, pero al girar la cabeza y ver el rostro de Allen supe que él sí podía imaginarlo, que había veces que él pensaba cómo sería su vida en la actualidad si hubiera cogido un vuelo anterior, o posterior, o le hubiera dicho a su mujer que cogería un taxi para ir a casa o hubiera decidido, como Claire quería, no haber ido a Kosovo desde el primer momento.

Walter Phillips se levantó, como para ofrecer su asiento a Ellen Kowalsky.

—No tienes por qué hacer esto, Ellen —dijo Herb Kowalsky, con una ternura hasta entonces desconocida en su voz. Esa ternura me sorprendió, y me figuré que también a otras personas presentes en la sala; pero no así a su mujer. Quizá yo había hecho algunos juicios precipitados sobre Herb Kowalsky que acaso resultaran demasiado fáciles y convenientes. Sin embargo, incluso mientras reflexionaba sobre el asunto, otra parte de mí recordó el matiz de desprecio que había en su voz cuando hablaba de los pueblerinos.

—Sí, tengo que hacerlo —replicó Ellen Kowalsky, que volvió la vista a su marido mientras hablaba. Luego, parpadeó varias veces seguidas y durante unos segundos se quedó mirando otra vez la pared del fondo, asegurando su agarre antes de proseguir. Respiró hondo y bajó los ojos para que se encontraran con los del público.

—Podría decirles que Ruth era la hija perfecta, que nunca nos dio un problema a su padre o a mí y que siempre se portaba bien con su hermano.

Una mujer en la segunda fila se echó a llorar, lo bastante alto como para que Ellen Kowalsky hiciera una pausa y luego volviese a elevar los ojos y a clavarlos en la pared del fondo.

—Pero todos sabemos que no existen niños así, de modo que les diré la verdad: a veces Ruth ponía a prueba nuestra paciencia, a veces teníamos que castigarla, a veces nos decepcionaba.

El reportero gráfico del *Atlanta Constitution* le hizo una fotografía. Varias personas se giraron y le miraron con furia. Nadie más volvió a hacer otra.

—Es decir, era como cualquier otra niña. Pero también había veces que perdíamos los nervios con ella injustamente, que no le ofrecíamos toda la atención y el cariño que necesitaba. Cualquier padre o madre en esta sala sabe que eso puede ocurrir. Nos enredamos tanto en nuestras propias vidas que nos olvidamos de que no hay nada más importante que nuestros hijos. Siempre decimos que les compensaremos mañana, o la semana siguiente, o en un cumpleaños o en Navidad. Damos por sentado que ese mañana o ese cumpleaños llegará.

Ellen Kowalsky había agotado el tiempo que le había sido asignado, pero nadie en la sala tenía intención de decírselo. Su voz se suavizó aún más, era casi un susurro, como si se encontrara en un confesionario en vez de en el centro comunitario de una población rural.

—Pero a veces ese día no llega, y las cosas que te habías propuesto hacer o decir no pueden hacerse ni decirse, porque tu hija ya no está contigo. La ruta de los Apalaches fue idea mía. Tenía la impresión de que últimamente no nos habíamos visto lo suficiente, ni siquiera coincidíamos a las horas de las comidas. Se me ocurrió que unos días juntos servirían para unirnos más como familia. Y así fue: pasamos dos días estupendos, hasta que llegamos a Tamassee.

Ellen Kowalsky hizo una pausa. La sala estaba tan silenciosa que se oía cantar a los grillos a través de la ventana abierta. De repente, me percaté de que Ellen Kowalsky no estaba mirando a la pared del fondo. Miraba *a través* de ella, más allá del puente y la roca del Lince hasta aquella incisión en el lecho de roca de la cascada del acantilado del Lobo.

—Sólo puedo hacer una cosa más por Ruth: sacarla del río, porque no sólo su cuerpo se encuentra allí, sino también su alma. Eso es lo que mi Iglesia ha proclamado durante cientos de años: una persona permanece en el purgatorio hasta que su cuerpo recibe los últimos sacramentos. Mi marido, incluso mi sacerdote, dicen que ellos no creen en eso.

Ellen Kowalsky bajó los ojos y nos miró directamente.

—Pero, ¿y si estuvieran confundidos?

Nadie en la sala estaba preparado para semejante declaración. Los periodistas y otros foráneos podrían haber interpretado la preocupación de Ellen Kowalsky como una excéntrica reacción provocada por su sufrimiento; pero yo sabía que muchos de los habitantes de la zona, aunque protestantes de la iglesia no ritualista, prestarían atención a sus temores.

Ellen Kowalsky continuó mirando al público mientras hablaba.

—Ya he intentado sacar a Ruth de ese lugar, y no he podido, al menos por mí misma. Necesito la ayuda del señor Brennon y su dique. Y necesito que el Servicio Forestal y todas las personas presentes en esta sala apoyen al señor Brennon. Es lo último que puedo hacer —declaró al tiempo que su voz empezaba a flaquear—. Ya es demasiado tarde para cualquier otra cosa.

En ese momento, ni siquiera la persona más cínica de quienes abarrotaban la sala podría haber dudado de que la pérdida de su hija había destrozado a Ellen Kowalsky, de que no empezaría a recuperarse hasta que la niña estuviera enterrada bajo tierra, y no bajo el agua.

Brennon estaba de pie junto a la silla en la que Ellen Kowalsky se sentó. Se inclinó hacia ella, poniéndole la mano en el hombro. Le dijo algo, y ella asintió con la cabeza. La expresión del rostro de Brennon dejaba a la vista que su preocupación por recuperar el cuerpo de Ruth era ahora una cuestión tanto emocional como profesional.

Billy se giró hacia mí y sacudió la cabeza.

—Ya está decidido —aseguró.

Luke sabía tan bien como Billly que había perdido. Cualquier impedimento que pudiera haber planteado con anterioridad, se había esfumado. En cuanto Luckadoo hubo anunciado que se levantaba la sesión, Luke se dirigió al estrado, abriéndose paso entre el gentío que abarrotaba el pasillo.

—¡Es la ley, Luckadoo! —vociferó—. ¡La ley! Ni usted ni cualquier otro puede decidir en este asunto. Ya ha sido decidido en los tribunales. Si permite que ese dique se construya, estará quebrantando la ley, y usted lo sabe.

El *sheriff* Cantrell y Hubert McClure agarraron a Luke por los brazos antes de que pudiera decir nada más. Lo empujaron a través de la muchedumbre hasta la puerta. Enseguida, la gente empezó a seguirlos hacia la salida.

Dejé a Allen y me encaminé a la segunda fila de sillas, donde mi padre seguía sentado.

—No deberías haber venido —dije.

Él levantó la cabeza y me miró.

—Me imaginé que nadie diría lo que había que decir. Y resulta que tenía razón.

—¿Quién te ha traído? —pregunté, porque no había nadie a su lado a quien yo conociera.

—Me trajo Joel, pero no quiso entrar.

—¿Cuándo va a volver para recogerte?

—No sé si vendrá. Pensé en que me llevara alguien que fuera de camino.

Paseé la vista por la sala. Billy se había marchado, al igual que cualquier otra persona que pudiera tomar la carretera de la iglesia de Damasco.

—¿Dijo Joel que estaría en casa? —pregunté.

—No me lo dijo.

Miré hacia el estrado. Myra Burell no se había marchado aún, pero ella vivía en la dirección contraria, cerca del río.

—Voy a por las llaves del coche —dije.

—No tienes por qué llevarme —aseveró mi padre; la obstinación en su tono de voz pinchaba como una zarza.

Me acerqué al estrado, donde Allen se había unido al círculo de reporteros que rodeaba a Brennon y Kowalsky.

—Necesito las llaves del coche para llevar a mi padre —le dije.

Allen sacó las llaves del bolsillo delantero del pantalón.

—¿Quieres que te acompañe?

—No —respondí yo—. No queda lejos. Regresaré en quince minutos.

—Me gustaría conocerle —señaló Allen.

—En otra ocasión —repliqué yo, y salí al aparcamiento, donde mi padre me esperaba.

El sol estaba desapareciendo por detrás de los árboles y las sombras se desplegaban por las laderas de las montañas. Al otro lado de la carretera, en los pastos de Herb Greene, las vacas formaban grupos bajo los árboles. Mi padre no las vio. De haber sido así, habría afirmado que era señal de que iba a llover.

—Deberías encender los faros del coche —me dijo mientras salíamos del aparcamiento.

—Sé conducir —repliqué, y luego encendí las luces delanteras de todas formas. No quería problemas.

—Da la impresión de que todo lo que te digo te molesta —dijo él en voz baja, demasiado baja para apreciar a cuál de nosotros dos culpaba de ello.

Pasamos por la tienda de Billy. Él y Wanda estaban sentados en el porche mientras sus hijos jugaban al balón en el aparcamiento.

Mi padre se removió en el asiento. Aunque yo miraba a la carretera, sabía que tenía los ojos fijos en mí.

—Hay cosas que tengo que decirte —indicó.

Parecía improbable, pero me pregunté si habría planeado que yo le llevara a casa. Tal vez lo hubiera hecho a propósito para obligarme a que le escuchara. La voz le temblaba al hablar.

—No pasa un solo día sin que me acuerde de que os dejé solos a Ben y a ti. Me olvidé de que las judías estaban en el fuego. De otro modo, nunca me habría marchado a la tienda.

—No quiero oírlo —corté yo.

—Tu madre me perdonó. Tu hermano, quien tenía mayor motivo para odiarme, me perdonó. Pero tú no lo has hecho, y tal vez Dios tampoco. Ya sabes lo que dice el evangelio de San Mateo, Maggie. Todavía recuerdas los pasajes de la Biblia que aprendiste de niña, ¿verdad? «Pero al que lastime a uno de estos pequeños que creen en mí, más le vale que le cuelguen al cuello una piedra de molino y le hundan en lo profundo del mar».

Tomé la carretera de la iglesia de Damasco. La casa aún quedaba a más de un kilómetro de distancia. Pulsé el botón para encender la radio, pero se me había olvidado que en lo profundo de aquellas montañas se escuchaban muy pocas emisoras. Allen tenía la radio en AM. Sólo se oían interferencias estáticas.

—¿Sabes cuántas veces ese versículo se me ha clavado como una espina en el corazón? Sé lo que hice —dijo mi padre con voz temblorosa—; no sólo a Ben, sino también a ti.

«Qué cómodo resulta», pensé, furiosa. «Esperas hasta estar muriendo, haces una dramática confesión y todo se arregla, todo se perdona. Un final perfecto para Hollywood.»

—Fue culpa mía, siempre lo he sabido —continuó mi padre.

Durante los últimos minutos, me había estado repitiendo a mí misma que no debía entrar en su terreno, pero la autocompasión que teñía su voz me impulsó a hablar.

—Entonces, ¿por qué tratabas a Ben como si la culpa fuera suya? —espeté—. ¿Por qué no me dijiste nunca que no debía culparme a mí misma, que era culpa tuya, que yo no tenía nada que ver? Entonces sí me importaba.

Crucé el arroyo de Licklogg y luego tomé la última cuesta. Llegué a la casa y detuve el coche, pero no apagué el motor.

—¿Por qué no puede importarte ahora? —preguntó mi padre.

«Porque no quiero que te salgas con la tuya tan fácilmente», pensé. «Porque eres el único culpable.»

—Tengo que irme —anuncié.

Mi padre se bajó del coche y cerró la portezuela. Observé cómo subía lentamente los escalones, aferrándose con fuerza a la barandilla. Albergué la esperanza de que no se girase para mirarme, y no lo hizo.

Regresé al centro comunitario, el lugar en el que dos décadas atrás se había organizado la barbacoa con el fin de recaudar fondos para pagar las facturas médicas de Ben. Vecinos y amigos llegaron con recipientes de loza amarilla repletos de ensalada de col, judías cocidas con tomate y patatas con mayonesa. También traían consigo garrafas de té y tarrinas de helado casero recién hecho. Las mujeres llenaron las mesas de comida mientras mi padre y los demás hombres se congregaban en la parte trasera alrededor de Lou Henson, quien engrasaba el cerdo en una pieza con una brocha de pintar.

Yo me encontraba en el interior del edificio, con la tía Margaret y las demás mujeres. Todas me hacían alharacas, exclamando lo guapa que era y cuánto había crecido. Eran mujeres de buen corazón, con buenas intenciones; pero empeoraban las cosas al tratarme como si me acabaran de bautizar o fuera mi cumpleaños, mientras Ben seguía en la unidad de quemados de Columbia con mi madre por toda compañía. Me dirigí a la puerta trasera, y tan deprisa como pude bajé por el sendero que llevaba al arroyo; con la mano me tapaba la nariz y la boca para evitar el olor a cerdo asado.

Estuve sola en la orilla hasta que llegó la tía Margaret. Aunque llevaba vestido, se sentó a mi lado.

—Sé que es un momento difícil para ti, hija mía —me dijo—. Pero todo se arreglará.

Puede que pasaran cinco minutos o acaso fueran treinta, y mi padre también bajó hasta el arroyo. Llevaba dos platos de cartón atestados de comida. Nos entregó los platos junto con tenedores de plástico y servilletas, y luego se marchó a por nuestros vasos de té. Al regresar, se sentó junto a mí en la orilla.

—Supongo que ya no podemos resistir tanta amabilidad —dijo, mientras, visiblemente incómodo, me colocaba la mano en el hombro.

No era un recuerdo conveniente, porque me impedía encuadrar con nitidez la fotografía en blanco y negro que yo había creado de mi pasado.

Cuando entré en el centro comunitario, Allen y otro periodista seguían con Luckadoo, Phillips y el matrimonio Kowalsky. Unos cuantos seguidores de Luke remoloneaban en el fondo de la sala; sin él, parecían perdidos.

—¿Estás bien? —preguntó Allen mientras conducíamos de vuelta al motel—. Al llegar, parecías disgustada.

—Ahora estoy perfectamente.

—Ese problema entre tu padre y tú, ¿es algo reciente?

—No.

—¿Quieres hablar de ello?

—Esta noche, no. Quizá en otra ocasión.

Allen me tocó el brazo con la mano derecha.

—Podemos hablar de otras cosas, ¿de acuerdo?

—De acuerdo —repuse yo.

Al llegar al motel, Allen aparcó el coche y apagó el motor. Ninguno de nosotros hizo amago de abrir la portezuela.

—¿De qué otras cosas quieres hablar? —pregunté.

Allen me miró cara a cara.

—¿Y si te digo que me estoy enamorando de ti? ¿Que quiero pasar la noche contigo, pero que no estoy seguro de que eso sea lo que quieres tú?

—Es lo que quiero —repuse yo.

—Ha pasado un año y medio. No sé cómo irá.

—No te preocupes; buscamos algo más importante que una aventura de un día —dije yo—. Esta noche no va a decidir nuestro futuro.

Un Chevy Blazer se detuvo en el aparcamiento, y uno de los cámaras que había estado en la asamblea entró al vestíbulo. El llamativo rótulo de neón del motel seguía parpadeando. Por primera vez, que yo recordara, el Motel Río Tamassee había encendido el cartel luminoso de NO HAY HABITACIONES.

El aparcamiento se iba ocupando a nuestro alrededor y las ventanas se iban iluminando. De vez en cuando, se escuchaba el sonido de un cubo de hielo que se llenaba, o una puerta que se cerraba. Las luciérnagas lanzaban chispas mientras revoloteaban sobre la hierba, ya empapada de rocío. Salimos del coche y nos dirigimos a nuestras respectivas habitaciones.

En el cuarto de baño, descubrí que el comienzo del amor no había producido ningún milagro con respecto a mi apariencia, de manera que tuve que conformarme con lo que la cosmética fue capaz de hacer. Muchas de las personas ancianas de Tamassee mantenían la creencia de que los espejos eran pasajes que unían la vida y la muerte, y después de los entierros cubrían todos los espejos de la casa de manera que los difuntos no pudieran regresar. La tía Margaret había hecho lo mismo al morir mi madre, y tapó cada uno de ellos con un trozo de muselina oscura. Me pregunté lo que Claire Pritchard-Hemphill sentiría si pudiera observarme mientras me preparaba para hacer el amor con su marido. ¿Una leve tristeza? O tal vez los muertos se encontrarían por encima de semejantes preocupaciones humanas.

Apagué la luz, volví a la habitación y me senté en la cama. Cuando escuché los pasos de Allen, abrí la puerta sin esperar a que llamara.

Capítulo 8

Me despertó el sonido de la lluvia. Tumbada en la cama, me pregunté si los Kowalsky y Brennon también la escuchaban, y si entendían lo que implicaba.

—Buenos días, dormilona —dijo Allen cuando abrí los ojos. Me abrazó y se acercó a mí.

—Está lloviendo —repliqué, apretando la espalda contra su pecho.

—Estupendo —respondió él, acariciándome la oreja con los labios—. No hay nada mejor que estar con una mujer en la cama una mañana lluviosa.

—No es bueno para Brennon ni para Kowalsky —dije—. Si el caudal del Tamassee se eleva más de cincuenta centímetros, dudo que puedan levantar el dique aunque Luckadoo se lo permitiera.

—Quizá deje de llover dentro de un rato.

—Quizá, sí; pero también depende de lo que esté ocurriendo río arriba. —Miré el reloj que había en la mesilla de noche—: Son casi las ocho —indiqué—. ¿A qué hora van a hacer el anuncio?

—Phillips dijo que entre las once y las doce. Aún nos queda un rato —observó Allen mientras yo me giraba hacia él.

Para cuando llegamos a la oficina del guardabosques, la lluvia había dado paso a una fina llovizna. La niebla que flotaba sobre la superficie del Tamassee recordaba al humo de una hoguera recién apagada. El aire era fresco, y me alegré de haber metido una sudadera en el equipaje. El calendario decía que estábamos en mayo, pero más parecía octubre. Era una de esas mañanas en las que yo siempre había disfrutado en el río, porque tanto el agua como sus alrededores se encontraban más serenos. En esas mañanas, se diría que la niebla actuaba de contracorriente, moviéndose al contrario de la rotación de la Tierra para detener todas las cosas, incluso el tiempo. Albergué la esperanza de que, si Ellen Kowalsky tuviera razón, eso fuera lo que el alma de su hija estuviera sintiendo en aquel momento. Que no experimentara miedo, o soledad, sino la sensación de formar parte de algo hermoso y transcendente.

—¿Por qué esa sonrisa irónica? —preguntó Allen, cogiéndome de la mano.

—Porque me doy cuenta de que, al menos en espíritu, sigo estando entre los seguidores de Luke.

—Él no es la única persona que se preocupa por ese río —observó Allen con un ligero matiz de irritación en la voz.

Le di un apretón en la mano.

—Ya lo sé. Sólo estoy diciendo que cuando se pasa una temporada en el Tamassee, no puedes evitar creer en buena parte de lo que cree Luke.

Allen me soltó la mano.

—¿Acaso te arrepientes de haber hecho la foto? —preguntó.

Una parte de mí deseaba responder que no y dar el asunto por zanjado, porque las cosas iban bien entre nosotros; demasiado bien como para permitir que algo ya pasado crease un problema. Pero no fui capaz.

—Sí —respondí—; la verdad es que sí me arrepiento.

En los ojos de Allen se apreció un destello de furia.

—Y yo soy responsable del montaje de esa fotografía, ¿no es así? Eso dijiste, en mi despacho.

—Podría haberla dejado en el cuarto oscuro. Entregársela a Lee fue decisión mía.

Hice una pausa mientras pasaba junto a nosotros un cámara de un canal de Greenville. Billy se acercó caminando hacia nosotros, nos vio las caras y rápidamente cambió de dirección.

—Así que incluso después de la asamblea de ayer sigues queriendo que el cadáver de Ruth Kowalsky se quede en el río.

—No —rebatí yo—. No es eso lo que quiero; pero tampoco quiero que el Tamassee sufra daños. Luke tiene razón cuando advierte de lo peligroso que resulta sentar precedente.

—¿Opinarías de la misma forma si fuera tu hija la que estuviese bajo el agua? ¿También en eso eres como Luke?

—No sé lo que opinaría —confesé yo.

—No, tú no lo sabes —prosiguió Allen—; pero Ellen Kowalsky, sí. No es una hipótesis que ella pueda contemplar de forma desapasionada.

«Y tú tampoco», pensé yo. Tal vez ninguno de nosotros éramos capaces de mostrarnos imparciales.

—Es agua pasada —zanjé yo—. No quiero que sea motivo de discusión.

—Yo tampoco —coincidió Allen, si bien su tono resultaba poco convincente. Señaló con la cabeza el porche de la oficina del guardabosques, donde el matrimonio Kowalsky departía con Brennon y el congresista—, pero no entiendo por qué no puedes alegrarte si esta mujer llega a encontrar por fin un poco de consuelo.

—Lo haré —repliqué—, al menos por esa razón.

Cuando Luckadoo y Walters salieron de la oficina del guardabosques, Allen y yo nos acercamos y nos sumamos a una multitud de más de cien personas. Casi todo el mundo que había estado presente en la asamblea del día anterior se había acercado hasta allí a escuchar la decisión del Servicio Forestal, incluidos los miembros de la prensa, que entre sus filas ahora contaban con dos equipos provistos de cámaras que no habían estado en el centro comunitario. No vi al ayudante del Gobernador, ni al del senador Jenkins. Conocían la decisión y ya se dirigían de regreso a Columbia y Washington respectivamente.

Luke también había venido. Recién salido de la prisión del condado, formaba grupo con sus seguidores. El *sheriff* Cantrell y Hubert McClure, apoyados en la barandilla lateral del porche, no les quitaban los ojos de encima.

Luckadoo sacó unas gafas de montura negra y empezó a leer de una hoja de papel.

—«El Servicio Forestal ha decidido que dadas las presentes circunstancias, se permitirá a la empresa Brennon Corporation levantar un dique portátil y provisional en la cascada del acantilado del Lobo, en el tramo número cinco del río Tamassee.»

Brennon y Kowalsky se estrecharon la mano y la señora Kowalsky abrazó al congresista.

—Nunca se llevará a cabo, Luckadoo —gritó Luke mientras una mujer le colocaba un micrófono delante de la cara—. Prometo que los abogados del Sierra Club empezarán a reclamar en los tribunales en defensa del Tamassee esta misma tarde.

—¿Está usted diciendo que aún es posible frenar todo esto? —preguntó la periodista.

—Tenga por seguro que vamos a intentarlo.

Luke se dio la vuelta y entonces me vio. Avanzó a través del gentío que ya se dispersaba y se plantó ante mí. Llevaba la ropa empapada, y círculos oscuros le rodeaban los ojos.

—¿Crees que los Kowalsky se imaginan lo que van a encontrarse allá abajo después de casi cinco semanas? —me preguntó.

—No lo sé —respondí, y en ese mismo momento caí en la cuenta de que ni yo misma había reparado en ello. La imagen que llevaba en la cabeza era la de una Ruth Kowalsky minutos después de ahogarse. La había imaginado en un estado intemporal. Tal vez eso fuera cierto con respecto a su alma, pero no a su cuerpo.

—Bueno, pues yo tengo una idea bastante acertada, Maggie —prosiguió Luke—; y tú, también.

Era cierto. Yo conocía el efecto que el agua ejerce sobre los cadáveres con el paso del tiempo, y también sabía lo que los peces, cangrejos y larvas solían hacer con ellos.

La periodista había seguido a Luke hasta donde nos encontrábamos. Volvió a plantarle el micrófono en la cara.

—¿Dice usted que el cuerpo de la niña estará deteriorado? —indagó.

La estupidez de la pregunta pareció tranquilizar a Luke por unos instantes.

—Dígale a su cámara que venga aquí —le ordenó—. Mi respuesta les vendrá muy bien para el telediario de la noche.

La periodista hizo una señal al cámara. Cuando Luke vio que la luz roja se encendía, se giró en dirección al objetivo y empezó a hablar.

—Yo ayudé a sacar a un estudiante universitario del canal del Oso hace dos veranos. Sólo llevaba allí cinco días, y no cinco semanas. Podíamos llegar hasta él, pero la corriente era demasiado fuerte como para sacar el cadáver a mano. Le atamos un cable alrededor y empleamos una manivela. Giramos la manivela cinco veces, y entonces la cabeza y uno de los brazos salieron disparados y fueron a aterrizar sobre un banco de arena. Sacamos el resto del cuerpo pieza a pieza.

La periodista se quedó boquiabierta. Bajó el micrófono, y con la mano libre hizo señas para que el cámara dejara de grabar.

Luke se dio la vuelta y se acercó aún más a mí. Sólo unos centímetros separaban nuestros rostros.

—Los padres de esa niña estaban allí —dijo Luke—. Lo vieron todo, Maggie.

—Ya lo sé —repuse yo.

Luke se encontraba a tan corta distancia de mí que notaba su aliento cuando hablaba.

—¡Dios! Confío en que esto no sea una forma rebuscada de vengarte de mí por lo que pasó entre nosotros hace años.

—No te des tanta importancia —repliqué yo, sosteniendo su mirada.

—Tranquilo, Miller —intervino Allen, que dio un paso hacia adelante y llenó el hueco que la periodista había dejado.

Luke se giró hacia Allen. En su semblante se reflejaban dieciocho horas de frustración.

—Una amiga me envió cierta información sobre ti que encontró en Internet. Información sobre tu mujer y tu hija. Podría decirte el verdadero motivo por el que has elegido bando en este asunto...

El *sheriff* Cantrell y Hubert McClure caminaban a toda prisa en nuestra dirección. La gente iba formando un círculo alrededor de nosotros. Carolyn se levantó del banco en el que estaba sentada y también se acercó.

Luke dejó de mirar a Allen y se giró hacia mí.

—... pero no pienso hacerlo —concluyó.

El *sheriff* Cantrell se plantó entre Allen y Luke.

—¿Qué pasa aquí? —preguntó.

—Nada —respondió Luke—. Me marcho.

—Bien —aprobó el *sheriff*.

—Vámonos —instó Luke a Carolyn, que ahora se encontraba a su lado.

—Una cosa más, Miller —dijo el *sheriff* Cantrell—. No quiero que tú ni ninguno de tus compinches os acerquéis a menos de cincuenta metros del dique.

Luke se dio media vuelta para marcharse.

—Cincuenta metros —reiteró el *sheriff*—. Si os acercáis un metro más os meteré entre rejas, y la fianza será mucho más de quinientos dólares, ¿entendido?

Luke y Carolyn cruzaron la carretera, se subieron al camión y se marcharon. Yo me incliné hacia Allen.

—¿Estás bien? —pregunté.

No respondió.

—Luke sólo trataba de hacerte enfadar.

—No, no sólo quería que me enfadara —rebatió Allen—. Estaba dispuesto a decir cosas para herirme —hizo una pausa—, pero no lo hizo. Si yo hubiera estado en su lugar, quizá no me habría reprimido.

Allen dirigió la vista al porche donde Ellen Kowalsky seguía conversando con el congresista. Se quedó mirándola por lo menos un minuto.

—¿Quieres que volvamos al motel? —pregunté.

—No —respondió—. Tengo que hacer unas cuantas preguntas a Brennon.

—Te acompañaré —dije yo—. Puede que consiga alguna fotografía interesante.

Cinco reporteros se encontraban por delante de nosotros. Saqué la Nikon y tomé unas cuantas fotos, sobre todo de Kowalsky, que sonreía y daba palmaditas en la espalda como si por fin hubiera cerrado la prolongada y espinosa negociación de un acuerdo comercial. En cuanto semejante idea me vino a la cabeza, supe que no estaba siendo justa. Para él, debía de ser la primera vez en más de un mes que había tenido un mínimo motivo de satisfacción. Metí la cámara en la mochila y al levantar la vista al cielo noté que el sol trataba de atravesar la capa de nubes grises.

—Pregúntale acerca de la lluvia —propuse, al tiempo que Brennon terminaba su conversación con el periodista que teníamos delante.

Brennon esbozó una sonrisa al vernos a Allen y a mí y extendió la mano. Se le veía más animado que nunca.

—Buenas noticias por fin, ¿eh? —dijo—. Y vosotros dos habéis tenido mucho que ver. El artículo y la fotografía han sido definitivos, sobre todo con los políticos.

—Buenas noticias para vosotros, por lo menos —repuso Allen.

—Sí —convino Brennon. Hizo una seña hacia los Kowalsky—. Cuando Herb me llamó hace dos semanas y me pidió que le ayudara estuve a punto de negarme, pero después de escuchar ayer a Ellen... Bueno, me alegro de estar aquí.

—¿Qué pasa con la lluvia? —preguntó Allen.

—Uno de mis hombres está haciendo mediciones. El caudal aún no ha sobrepasado los sesenta centímetros.

Di un paso adelante.

—¿Entrarías con una crecida de sesenta centímetros?

—Claro que sí —respondió Brennon—. El año pasado levantamos un dique con un incremento de casi setenta.

—Pero estamos hablando de aguas rápidas —insistí yo, esforzándome por no elevar el tono de voz.

—Da lo mismo. Además, el río comienza a bajar un poco. Cuando nos pongamos a trabajar, la crecida no sobrepasará los cincuenta y cuatro centímetros.

—¿Y cuándo pensáis empezar? —preguntó Allen.

—A las dos. Mis hombres están esperando en el motel, con el equipo. Lo único que me queda por hacer es ponerme en contacto con esos mellizos. Ellos van a ser los buzos. No he podido llamarles porque se me ha olvidado su apellido.

—Es Moseley —dije yo—. Ronny y Randy Moseley.

—Sí —repuso Brennon—; es verdad.

Tiempo atrás, existía un atajo bien conservado que conducía a la cascada del acantilado del Lobo. La máquina excavadora que acabábamos de adelantar en el camino de tala había horadado un nuevo sendero: una superficie embarrada de cien metros de largo y con el ancho de una carretera. El tráfico a pie había empeorado las cosas, porque la gente se resbalaba por la ladera de la montaña y se agarraba a las ramas de los robles y a los arbustos de laurel para evitar caerse al río.

—Esto no debería haberse permitido —le dije a Allen mientras bajábamos por el acantilado—. El lodo seguirá penetrando en el río durante años; será como una herida sangrante.

—¿Cómo iban a impedirlo? —argumentó Allen—. Había que trasladar el dique.

—Podrían haberlo hecho sin utilizar una excavadora. Es otra violación de la ley federal, y el anuncio que Luckadoo hizo esta mañana no lo autorizaba.

—¿Un ejemplo de la teoría del dominó de Luke? —preguntó Allen.

—Yo diría que ha dejado de ser una teoría. Tenemos la prueba fehaciente a nuestro alrededor, ¿no es cierto?

—Sí, tienes razón —admitió Allen con tono conciliador. Se detuvo y me agarró ligeramente del brazo, de manera que yo también me paré—. Emplear la excavadora ha sido un error —dijo—, y así lo haré saber en mi próximo artículo.

Allen bajó la voz mientras otros dos periodistas pasaban dando traspiés por nuestro lado.

—No quiero que este asunto se interponga entre nosotros.

—Yo tampoco —coincidí—, así que no lo permitiremos.

—Estupendo —concluyó Allen—. Cuando todo esto termine, me gustaría recorrer el río en canoa. Solos los dos. Quiero conocer esta vertiente tan bien como tú.

Desde lo alto del acantilado alguien soltó una maldición. Momentos después, una cámara de vídeo bajó rodando por la pendiente y estalló en pedazos al chocar contra una roca.

—Una exclusiva menos del Canal Siete —indicó Allen.

Pero se veían muchas más cámaras, aparte de unas dos decenas de periodistas y fotógrafos. También había gran cantidad de curiosos que, sentados o de pie, ocupaban las orillas a ambos lados de la cascada del acantilado del Lobo.

Walter Phillips se encontraba al borde del remanso, con un aparato transmisor pegado a la oreja. El *sheriff* Cantrell y Hubert McClure también estaban allí. Al otro lado del río, Luke y los suyos se encaramaban como halcones en el farallón de granito. Estaban lo bastante lejos como para que el *sheriff* se sintiera satisfecho, aunque posiblemente hubiera preferido que se hubieran abstenido de ir.

Más personas siguieron bajando por el sendero, incluidos Kowalsky y su mujer, y luego Brennon y sus ocho hombres, quienes transportaban el dique portátil. Ronny y Randy les acompañaban.

—Voy a acercarme un momento a hablar con los Kowalsky —dijo Allen.

Encontré en la orilla un espacio que el sol había secado y me senté. Abrí la mochila y me aseguré de que mi equipo fotográfico no había sufrido daños durante el descenso.

Ahora el sol daba de pleno en el acantilado del Lobo, y aportaba un resplandor plateado a la pared del despeñadero. El cielo sobre nuestras cabezas estaba libre de nubes, aunque yo sabía tan bien como cualquiera de los habitantes de la zona lo rápidamente que podía cambiar. «Si ese cielo despejado se mantiene varias horas, puede que lo consigan», pensé.

Las rocas de la orilla, completamente secas la semana anterior, se encontraban sumergidas parcialmente. Las hojas de los rododendros que habían estado intactas, ahora se inclinaban a causa de la corriente. La propia agua se iba aclarando, pero aún tenía el color del café aguado. Pedazos de madera de deriva, hojas y pequeñas ramas circulaban en remolinos; yo habría dicho que a sesenta centímetros por encima de lo habitual.

—Se ha organizado un buen circo, ¿verdad? —comentó Billy, tomando asiento junto a mí.

—Sí, así es —respondí yo, moviéndome hacia un lado para dejarle sitio—. ¿Crees que el caudal bajará lo bastante para que puedan intentarlo?

—Al mediodía, la crecida era de sesenta y nueve. Aún no he visto ningún grupo de balsas; Earl debe de considerar que el río está todavía demasiado alto. Pero creo que está bajando. Puede que ahora estemos hablando de sesenta centímetros; cincuenta y cuatro, como mínimo.

—Eso me parecía a mí.

Los hombres de Brennon se enfundaron chalecos reflectantes de color naranja y se colocaron cinturones de seguridad. Se agruparon alrededor de su jefe mientras Ronny y Randy permanecían sentados en la orilla a espaldas de ellos, con las viseras de sus gorras tapándoles los ojos, y su equipo de buceo junto a ellos.

—Mira eso —se lamentó Billy, y señaló hacia el agua. Un mapache muerto flotaba río abajo, con el vientre hinchado como el de una embarazada.

—Lo arrastró la corriente, me imagino —dijo Billy—. Por lo general, son lo bastante listos como para que no ocurra.

Más personas bajaban por el sendero.

—Mierda —exclamó Billy—. El Servicio Forestal debería haber instalado gradas y cobrado la entrada.

Ahora la gente abarrotaba las orillas, departiendo con emoción como si fuera a dar comienzo una carrera de remo o una competición de atletismo. Varios adolescentes se habían descalzado y se salpicaban agua en las zonas menos profundas. Un hombre se hallaba de pie en la roca donde yo había fotografiado a Kowalsky. Mientras contemplaba el agua, engullía una empanadilla de carne de cerdo.

Miré río arriba y vi a Ellen Kowalsky sola, de pie en la orilla. Vestía traje de chaqueta oscuro.

Billy se dirigió hacia la parte alta del sendero.

—Te lo ruego, Señor —dijo, elevando los ojos al cielo—, deja que ese hijo de puta se caiga y se reviente el culo. Deja que baje rodando hasta el río.

Me di la vuelta y divisé a Bryan a unos treinta metros sendero arriba. Vestía pantalones de algodón tipo chinos y camisa verde de *sport*. Calzaba unos zapatos náuticos cuyas suelas resbaladizas proporcionaban tanto agarre en el barro como el de los neumáticos gastados sobre una placa de hielo. Con una mano, se sujetaba a una rama de laurel de montaña. Parecía indeciso sobre si seguir bajando o regresar arriba. Se acercó más al arbusto, y en el tallo principal ancló el pie derecho. Llevaba al cuello una cámara; la levantó y empezó a tomar fotografías del sendero y de los hombres que ensamblaban el dique.

Sentaría precedente, como Luke había augurado en la primera asamblea, y ahora Bryan tenía pruebas de aquel precedente.

Hizo su última foto y se dio la vuelta con cautela. Dio un paso y se resbaló, se enderezó y consiguió recobrar el equilibrio. Luego, con suma precaución, volvió a ascender por el sendero.

—Esas fotos no traerán nada bueno —observó Billy.

—No —convine yo—, desde luego que no.

Allen y Kowalsky se encontraban juntos, de pie en la orilla; pero Kowalsky se había girado para observar a los hombres de Brennon. Allen miraba hacia el río. Me puse de pie y levanté la Nikon; enfoqué a Allen, y acerqué su rostro al mío. Él se giró en mi dirección y al ver la cámara, sonrió. Pulsé el obturador dos veces. «Tal vez consiga un único buen recuerdo de este lugar», pensé, y luego me volví a sentar.

—¿Has tenido noticias de los del Servicio de Pesca y Vida Salvaje sobre tus fotos? —pregunté.

—Sí —respondió Billy—. Su especialista en pumas me escribió diciendo que eran «muy intrigantes»; esa es la expresión que utilizó. Ahora está en Tennessee, pero me pidió que cuando llegue el invierno, le llame después de una buena nevada. Dice que vendrá por aquí y buscaremos huellas.

—Qué bien —dije yo—. Puede que se verifique lo que viste de pequeño.

—Sí —coincidió Billy—. Me gustaría que se demostrara que yo tenía razón; pero eso no es lo mejor.

—¿Qué es lo mejor?

—Saber que a pesar de la gente como Bryan y Luckadoo, aún quedan zonas lo bastante salvajes por los alrededores como para ocultar unas cuantas cosas.

Billy dirigió la vista corriente arriba, donde se afanaban los hombres de Brennon.

—Por lo menos, a corto plazo —añadió.

—Puede que más que eso —tercié yo—. Hay mucha gente que se enfrentaría a Bryan si intentara perjudicar este río.

—Ya veremos —dijo Billy—, pero tengo la impresión de que todo este asunto va a poner las cosas mucho más difíciles.

Al otro lado del río, Joel surgió del bosque. Iba solo.

—Me sorprende que haya venido —comenté.

—Quiere estar presente cuando se demuestre que estaba en lo cierto —repuso Billy—. Ayer vino a la tienda y dijo que no cree que sean capaces de levantar ni siquiera una sección del dique sin que se derrumbe.

—Puede que tenga razón —observé yo—, sobre todo si lo intentan hoy.

Cuatro de los hombres de Brennon se engancharon cuerdas de seguridad a los cinturones. Dos de ellos acarreaban martillos neumáticos; los otros dos, abrazaderas de fijación. Se adentraron en las aguas planas donde Ruth Kowalsky había perdido pie. Se movían con precaución, procurando pisar sobre arena, y no sobre resbaladizas rocas cubiertas de algas. Desde la orilla, Brennon les fue dirigiendo hacia donde Ronny y Randy habían encontrado lecho de roca y a continuación empezaron a taladrar.

—Parece que esto va en serio —comentó Billy.

De pronto se escuchó un estrépito por encima del acantilado del Lobo y un helicóptero apareció a la vista. El aparato revoloteaba por encima de las copas de los árboles como si fuera una libélula, y mientras su sombra caía sobre el agua uno de los cámaras se inclinaba para filmarlo. Varios de los seguidores de Luke levantaron en el aire el dedo corazón. Algunas personas saludaron con la mano desde la orilla.

Billy se levantó y se sacudió el polvo de la parte posterior de sus vaqueros.

—No debería haber venido —se lamentó—. Esto es peor que ponerse a curiosear en un accidente de tráfico. —Miró al otro lado del río, en dirección a Luke—: De todas formas, mi sitio está en la otra orilla. Te veré más tarde, Maggie.

Billy ascendió por el sendero del acantilado mientras el helicóptero se elevaba y desaparecía tras la montaña.

El silencio volvía a reinar en el cielo, que en su mayor parte seguía estando azul; pero desde el norte avanzaban nubes oscuras.

Allen se encontraba ahora junto a Phillips. Saqué la Nikon y fotografié a los hombres de Brennon que taladraban el lecho del río; otros, ensamblaban las distintas secciones del dique. El agua seguía aclarándose. Los primeros destellos de mica salieron a la luz; luego, la arena blanca, y finalmente pudo observarse la veloz huida de gobios y cangrejos, y las crisálidas de frigáneas arrastradas por la corriente. Era como contemplar el proceso de revelado de una fotografía.

Luke miraba ahora a través de unos prismáticos. Los dirigió hacia los hombres de Brennon, luego hacia el sendero trazado por la excavadora y, finalmente, al río. Yo conocía a Luke desde hacía ocho años, y en ese periodo de tiempo mis sentimientos por él habían cubierto el espectro emocional que abarca del amor al odio. Por primera vez, sentí algo parecido a la lástima.

—Phillips ha comprobado con Earl Wilkinson la crecida en el puente —dijo Allen al sentarse a mi lado—. El caudal ha subido hasta cincuenta y siete centímetros.

—¿Van a seguir intentándolo?

—Phillips no está precisamente encantado. Tengo la impresión de que si de él dependiera, detendría la maniobra; pero está sometido a una gran presión, empezando por la del propio Gobernador hacia abajo.

Allen se encogió de hombros.

—Quién sabe. Brennon asegura que funcionará, a pesar de la crecida de agua.

—Yo no estoy tan segura —dije.

El helicóptero volvió a hacer estruendo por encima del acantilado.

—¿Cuánto tardarán en levantarlo? —pregunté.

—Dos horas más, como máximo. Perforarán siete agujeros; luego, fijarán los soportes con pernos y forrarán el dique con poliuretano. Después, entran los buceadores.

Dirigí la vista a Ronny y Randy.

—¿Ha preguntado Brennon a los Moseley qué opinan sobre la crecida de aguas?

—Lo dudo. Es el dique de Brennon. Debe de imaginar que sabe más que nadie sobre lo que se puede hacer y lo que no.

Allen y yo permanecimos sentados en la orilla. Me puso la mano en la nuca y con los dedos se puso a darme un masaje. Cerré los ojos y eché la cabeza hacia atrás.

—Me gusta —dije, moviendo la cabeza de un lado a otro mientras el sol me daba en el rostro, levantado hacia arriba. La tensión de los últimos días empezó a desaparecer—. Está claro que Freud nunca dio un masaje en el cuello a una mujer; de lo contrario, nunca se habría preguntado qué quieren las mujeres.

—Muy interesante —observó Allen—. Tendré que recordarlo.

Apoyé la cabeza en la hendidura entre el cuello y el hombro de Allen.

Cerré los ojos y debí de quedarme dormida, porque cuando volví a abrirlos los operarios habían salido del agua y siete abrazaderas de metal se elevaban por encima de la superficie, como periscopios de submarino, en el tramo anterior a la cascada. Observé cómo el equipo de Brennon fijaba las abrazaderas con pernos. Todos los hombres llevaban chalecos salvavidas y cordaje de seguridad. Cuatro de ellos trabajaban dentro del agua y los otros cuatro sujetaban las cuerdas.

Me levanté para observar el río más de cerca. El agua volvía a oscurecerse. Vi a Joel en la orilla de enfrente. Él sabía igual que yo lo que el color del agua significaba.

Dirigí la vista a Phillips, que llevaba el aparato transmisor amarrado a la cadera como una segunda pistola, y luego a Randy y a Ronny, enfundados en sus trajes de neopreno.

—Puede que ya lo sepa, pero voy a advertirle a Phillips que está lloviendo corriente arriba —dije.

—¿Quieres que te acompañe? —preguntó Allen.

—No, volveré enseguida.

Me encaminé río arriba hacia donde Phillips se encontraba junto a Brennon y Herb Kowalsky.

—Está lloviendo río arriba —anuncié—. Probablemente en la frontera con Georgia.

—Ya lo sabemos —repuso Phillips—. Earl Wilkinson ha llamado hace unos minutos.

—Pero la lluvia no es fuerte —intervino Brennon, dirigiéndose tanto a Phillips como a mí—. Puede que la crecida ya no baje, pero tampoco subirá mucho.

—¿Cuál es el nivel ahora, según Earl?

Le estaba preguntando a Phillips, pero Brennon respondió:

—Sesenta centímetros exactamente. Aún vamos bien.

—Considero que la instalación debería posponerse un tiempo —le dije a Phillips.

—Ya se ha tomado una decisión —interrumpió Brennon—. No ha sido cosa mía, o del señor Phillips. Lo ha decidido el mismísimo Luckadoo. Nada va a impedir que levantemos el dique.

—El Tamassee puede impedirlo —atajé yo, y señalé corriente arriba, donde el enorme roble blanco se balanceaba sobre las rocas—. Si puede mover ese árbol, podrá derribar un pedazo de poliuretano.

Me giré para mirar a Phillips.

—Luckadoo ha vivido toda su vida a pie de las montañas. No tiene ni idea de lo que son las aguas bravas. Sólo los habitantes de esta zona las conocen.

Brennon era un hombre que hasta el momento había revelado poco de sí mismo. Yo ignoraba si Kowalsky le iba a pagar por sus servicios, o si él había cedido sus hombres y su equipo gratuitamente; ni siquiera sabía si tenía hijos. Pero en las últimas doce horas se habían producido ciertos atisbos: primero, su compasión; y ahora, su arrogancia, un atributo menos encomiable.

—No dejan de repetirme lo mismo —protestó—, y va a ser un auténtico placer demostrar que todos los autodenominados expertos están equivocados.

Phillips permaneció en silencio unos segundos. Sus ojos escudriñaban el borde del río. Parecía un hombre que intentara leer un lenguaje que no comprendía.

—Usted está seguro de que este dique va a funcionar —dijo por fin Phillips, con los ojos clavados en al agua.

—Sí, claro que sí —aseguró Brennon—. Así es como me gano la vida. Fabrico los diques y los pruebo. ¿Tengo que entregar una declaración jurada para que me crean?

—De acuerdo —claudicó Phillips.

—Por lo menos, hágales esperar unas horas —insistí yo.

—¿Por qué? —preguntó Brennon—. ¿Para arriesgarnos a que caiga un chaparrón? —Se giró hacia sus hombres—: Continuamos.

Caminé corriente abajo. Cuando miré hacia atrás, Phillips seguía con los ojos fijos en el agua.

Me senté junto a Allen y nos quedamos observando cómo cuatro de los hombres de Brennon se cargaban a hombros los rollos de poliuretano y se introducían en el agua. Al llegar a medio camino de la corriente, sujetaron el poliuretano al metal e iniciaron el regreso hacia la orilla. El dique se desplegó como una bandera gigantesca. El río golpeó contra el poliuretano, ahora tirante, pero la primera sección resistió el embate. El dique tenía forma de triángulo, circunstancia de la que no me percaté hasta que vi desplegarse la segunda sección.

A medida que la cuadrilla de Brennon instalaba la segunda sección, uno de los hombres se resbaló. Estaba de pie junto a una abrazadera de metal y de pronto salió disparado río abajo hacia la cascada del acantilado del Lobo, agitando los brazos en el aire en un intento por encontrar un agarre que no existía. De repente, la cuerda se tensó al máximo. El operario empezó a ser arrastrado hasta la orilla a base de tirones; otros dos hombres se pusieron a ayudar al compañero que sujetaba la cuerda, y la situación recordaba a una competición de fuerza contra el río. No dejaron de tirar hasta que el hombre se hubo encontrado tumbado sobre un banco de arena, luchando por recobrar el aliento. Se negó a volver a entrar al río.

Joel había caminado río arriba y se colocó justo enfrente de Randy y Ronny. Cuando consiguió su atención, movió la cabeza.

—¿Les está diciendo que no se metan? —preguntó Allen.

—Sí, les advierte de que es demasiado peligroso.

La cuadrilla de Brennon trabajaba ahora en aguas menos profundas y el proceso se aceleraba. El gentío apostado en las orillas prestó mayor atención. Algunos de los hombres soltaron gritos de ánimo. Una mujer levantó a un niño que lloraba para que pudiera ver mejor. Los adolescentes dejaron de salpicarse y se quedaron mirando a los operarios que forcejeaban para anclar lo que quedaba de poliuretano.

Los Kowalsky se habían mantenido apartados de todos los demás, pero ahora se acercaron al borde del remanso.

Ataviado con botas de escalada, vaqueros y camisa de franela, Herb Kowalsky se había vestido adecuadamente para descender por el acantilado; pero no así su mujer. La única concesión que Ellen Kowalsky había hecho al terreno era un par de deportivas Reebok de color negro, si bien la incongruencia en su vestimenta no aminoraba su dignidad en lo más mínimo.

Era evidente que se había resbalado al descender por el sendero, porque el barro le manchaba la pierna derecha, así como el costado de su traje de chaqueta. Con los pies ligeramente separados, agarraba el brazo de su marido con una mano, como si ella también se uniera al eslabón final del dique.

La corriente arremetía contra las tres secciones de poliuretano. El dique se inclinaba ante la presión a medida que el agua se elevaba, pero aún seguía en pie.

—Va a funcionar —presagió Allen, al tiempo que yo levantaba mi Nikon y tomaba fotos del dique, ya terminado.

La corriente de agua hizo lo que Brennon había predicho: se desvió hacia el lado derecho del río y cortó por la mitad el flujo que caía por la cascada del acantilado del Lobo.

Moví la cabeza y encuadré una roca situada corriente arriba, en la orilla de enfrente, que media hora atrás había estado completamente seca. Ahora, el agua chocaba contra ella.

—Durante un rato, en todo caso —repuse yo.

Bajé la cámara y miré corriente arriba, hacia Ellen Kowalsky. Había soltado el brazo de su marido. Estaba situada de cara al remanso, pero parecía desviar los ojos, como si le asustara mirar directamente al agua que guardaba los restos mortales de su hija. Me pregunté si había empezado a darse cuenta de lo que se iba a encontrar.

—¿Crees que está preparada para esto? —preguntó Allen.

—No. Lo que saquen de ese remanso va a ser mucho peor que cualquier cosa que haya podido imaginarse.

Volví a mirar a la roca, pero no supe a ciencia cierta si el agua había vuelto a crecer.

—Debería haberse quedado en el motel —opiné yo.

—Sí —convino Allen—. Entiendo que tiene que ver el cuerpo de su hija, pero por su bien preferiría que fuera en privado; en una funeraria, por ejemplo.

Brennon nos hizo una seña para que nos acercáramos.

—Vamos —dijo Allen, y se puso de pie—. Deben estarse preparando para mandar a uno de los buzos.

Metí la Nikon en la mochila y luego me levanté.

—¿No vas a necesitarla? —se extrañó Allen.

—No —respondí yo, mirando a Ellen Kowalsky.

Caminamos río arriba y pasamos junto al *sheriff* Cantrell y Hubert McClure, que ahora sólo permitían acercarse al remanso a los miembros de la prensa. Cantrell nos saludó con un gesto de cabeza. Puede que no se acordara de mi nombre de pila, pero sabía quién era yo porque años atrás él y mi padre solían cazar y pescar juntos. Vino a nuestra casa la semana que Ben había regresado del centro de quemados. Le entregó una placa de ayudante del *sheriff* y le recomendó que se curara deprisa para que entre los dos pudieran atrapar a unos cuantos tipos malos.

Me habría gustado saber a qué personas el *sheriff* Cantrell habría considerado los tipos malos en aquella situación, si es que hacía esa clase de juicios. Estaba demasiado atareado observando a Luke y a sus seguidores como para detenerse a hablar, pero incluso de haber tenido tiempo, seguro que se habría guardado sus pensamientos para sí. Aunque la presión que sufría por parte de los políticos no era tan palpable como la que éstos ejercían sobre Walter Phillips, sospeché que Cantrell también habría recibido correos electrónicos y llamadas telefónicas de diferentes organismos oficiales de Columbia.

Cuando Brennon hubo reunido junto al remanso a todos cuantos deseaba, se giró hacia el lugar de la orilla donde Randy y Ronny estaban sentados.

—¿Estáis preparados, muchachos? —preguntó.

Randy miró a Brennon y negó con la cabeza.

—No vamos a entrar. El río está demasiado alto.

—¿No vais a entrar? —repitió Brennon con voz incrédula.

Herb Kowalsky se acercó a Brennon.

—¿Cómo? —preguntó, mirándole a él, y no a los mellizos—. ¿No van a entrar después de todo esto?

—Tenéis que hacerlo —dijo Brennon.

—No vamos a hacer nada —insistió Ronny.

Randy lanzó su tanque de oxígeno en dirección a Brennon. Se escuchó un ruido metálico cuando la bombona golpeó contra el suelo. Ronny hizo lo propio, sólo que dirigió su oxígeno a Kowalsky.

—Ahí tienen —dijo Randy—. Si están tan convencidos de que no hay peligro, entren ustedes mismos.

De pronto, el acantilado pareció inundarse de calma; incluso la corriente se veía más tranquila. Miré el dique. El agua se elevaba hasta unos treinta centímetros del borde superior. El poliuretano ondeaba y se hinchaba como las velas de un barco. Joel no se encontraba ahora en la orilla de enfrente, sino que caminaba lentamente sendero arriba. Al igual que Billy, ya había tenido bastante.

—Por favor —suplicó Ellen Kowalsky—. Por favor, sacad a mi hija de ahí adentro.

Extendió las palmas de la mano en dirección a Randy, como queriendo decir que no tenía nada que ofrecer salvo sus palabras.

—Por favor —repitió—, os lo ruego.

Randy la miró a los ojos, pero no pronunció palabra. Noté que Allen me ponía la mano en el hombro. De repente, fue como si todos los presentes nos hubiéramos congregado allí para ese preciso momento. Aunque el término «momento» no era el más adecuado, pues lo que yo sentí fue una ausencia del plano temporal, como si las montañas nos hubieran encerrado, apartándonos del resto del mundo y del tiempo también.

—No lo hagas —advirtió Ronny a su mellizo.

Randy alargó el brazo para recoger su oxígeno.

—No tengo más remedio —respondió.

Ronny recogió sus gafas de bucear.

—Te acompaño —dijo.

—No, te necesito en la orilla.

Randy se calzó las aletas, se colocó las gafas y entró en el agua.

—La cuerda —dijo Ronny, y lanzó uno de los extremos a su mellizo.

Randy agarró la cuerda y rápidamente ató un nudo simple a medida que se adentraba en el remanso. Se introdujo la boquilla del oxígeno y se lanzó al agua. Una aleta negra rasgó la superficie y luego Randy desapareció de la vista.

El aparato transmisor de Walter Phillips crepitó y escuché la voz de Earl Wilkinson anunciando que el río tenía una crecida de sesenta centímetros.

—Aún estamos bien —observó Brennon, con los ojos fijos en el dique y no en el remanso. Por primera vez, se apreciaba un matiz de incertidumbre en su voz—. Tenemos unos minutos más.

Dirigí la vista al dique. El agua quedaba ya a pocos centímetros de la parte superior.

Me solté de un tirón de la mano que Allen tenía en mi hombro.

—¡Sácale! —grité a Ronny—. ¡Ahora mismo!

Ronny se giró en nuestra dirección. Estaba de pie en la zona poco profunda y sujetaba la cuerda con la mano izquierda. Por unos instantes, creí que no me había oído; luego, empezó a tirar a toda prisa de la cuerda.

—Dos minutos —gritó Brennon a Ronny—. Dale dos minutos más y sacaremos a la niña.

Volví a girarme en dirección al dique, deseando con todas mis fuerzas que se mantuviera en pie hasta que Randy hubiera salido. Algo pareció ceder ligeramente a ambos extremos, y luego volvió a estabilizarse.

Me dije a mí misma que eran sólo imaginaciones, que no había cedido en absoluto.

No tardé en saber que sí lo había hecho.

A medida que la sección central se derrumbaba, las otras dos cayeron como naipes. Una enorme ola rompió sobre la cascada del acantilado del Lobo. La gente situada corriente abajo ascendió a toda velocidad por las orillas al tiempo que una explosión de agua rugía a su paso. En lo alto del acantilado, Luke y sus seguidores no se habían dado cuenta de que Randy aún no había salido. Empezaron a lanzar vítores.

Ronny tiró de la cuerda; las venas del cuello se le hinchaban mientras clavaba los pies en la arena y se echaba hacia atrás. Durante unos segundos, la soga quedó tirante entre el remanso y la orilla; luego, salió disparada por encima del agua con un latigazo, como un hilo de pescar que acabara de romperse.

Ronny cayó de espaldas y se dio un golpe en la cabeza. Se levantó lentamente. Tenía el traje de neopreno manchado de arena y las palmas de las manos con marcas de quemaduras. A continuación, bajó a trompicones por la orilla del río gritando el nombre de su hermano. Buscó por espacio de cincuenta metros corriente abajo y después se dio la vuelta y corrió en dirección al remanso.

Cuando los seguidores de Luke repararon en la cuerda, dejaron de jalear. Sabían tan bien como los demás lo que significaba. Los curiosos situados río abajo así mismo cayeron en la cuenta de que algo terrible acababa de suceder. La explosión de agua había empapado a algunos de ellos. Un buen número de rodillas y codos habían sufrido heridas por efecto de las rocas y la arena. Los niños gritaban. Una mujer se apretó el brazo contra el estómago. Walter Phillips se encontraba de pie entre ellos, con el transmisor pegado a una mejilla mientras daba instrucciones al Servicio de Emergencias.

Brennon permanecía inmóvil. Miraba fijamente el lugar donde antes había estado el dique, como si éste aún siguiera allí y todo lo que acababa de presenciar hubiera sido sólo una alucinación. El matrimonio Kowalsky se hallaba a su lado. Herb Kowalsky también miraba en la dirección donde antes se encontraba el dique, pero los ojos de su mujer estaban clavados en el remanso. Se llevó un pañuelo de papel a los ojos y se secó una lágrima.

—Tendría que haber resistido —murmuró Brennon, más para sí mismo que para los Kowalsky—. Tendría que haber resistido —repitió. Sólo entonces Brennon acertó a moverse, enviando a sus hombres a la zona poca profunda en busca de Randy. Él mismo se adentró en el agua.

Allen seguía de pie, detrás de mí; pero yo no me di la vuelta ni levanté la mano para agarrar la suya.

Ronny estaba ahora en la cola del remanso, buscando burbujas. No se apreciaba ninguna, aunque las aguas bravas le habrían dificultado la visión. Fue corriendo hacia donde se encontraba su equipo y se amarró la bombona de oxígeno. El *sheriff* Cantrell y Hubert McClure le inmovilizaron en el suelo.

Ellen Kowalsky entró en el remanso; el agua le cubría los zapatos y le subía hasta las espinillas. Allen fue a buscarla y la apartó de la caída de agua. Mientras se movían lentamente, casi con ceremonia, hacia la orilla, Allen la sujetaba ligeramente por el codo. El pañuelo de papel arrugado se le desprendió de la mano y conforme flotaba suavemente hacia el centro del remanso, recordaba a una flor de cerezo silvestre. Luego, se hundió.

Capítulo 9

La bombona de Randy contenía oxígeno para treinta minutos. Pasados cuarenta y cinco, el *sheriff* Cantrell solicitó a Hubert McClure que quitase las esposas a Ronny.

—Puede que fuera responsabilidad tuya —dijo Cantrell volviéndose hacia Walter Phillips—, pero hice lo que me pareció más conveniente.

—Por mi parte, no hay problema —respondió Phillips.

—Deberíais haberme dejado intentarlo —vociferó Ronny, agitando las muñecas para librarse de los aros de metal. Las esposas cayeron con estruendo sobre una roca que tenía a sus pies—. No teníais derecho a detenerme.

—¿Y encontrarnos con tres cadáveres ahí adentro? —espetó el *sheriff* Cantrell—. De ninguna manera.

Casi todo el mundo se había marchado. Unos cuantos periodistas se paseaban por los alrededores, pero no conseguían que nadie les hiciera declaraciones.

—No puedo dar crédito a lo que ha ocurrido —dijo Allen, rompiendo el silencio entre nosotros. Al igual que yo, deseaba creer que no había sucedido, que no era posible. Deseaba creer que aún quedaba alguna probabilidad, por remota que fuera, de que Randy emergiera con vida del remanso.

Brennon y su cuadrilla habían extendido la sección intermedia del dique sobre un banco de arena. La examinaban y la señalaban como si se tratara del mapa militar de una batalla inminente. De alguna forma, así era, puesto que Brennon ya hacía planes para la mañana siguiente. Nadie, salvo sus hombres, le prestaba atención. El matrimonio Kowalsky había regresado a su motel en Seneca. Walter Phillips se encontraba a unos metros de distancia de Ronny y el *sheriff* Cantrell.

—Tengo que hablar un momento con Phillips —dijo Allen.

—Yo me voy al coche —respondí.

—Será cuestión de un minuto.

—No puedo seguir aquí ni un minuto más —repliqué yo, y me encaminé a través de las rocas hasta el sendero.

El efecto del sol había hecho que el ascenso resultara menos resbaladizo, pero en varias ocasiones tuve que agarrarme a las ramas de rododendro y de laurel de montaña para mantener el equilibrio. El coche, aparcado frente a un roble blanco, estaba abierto. Me subí y me quedé mirando a través del parabrisas las figuras que formaba la brisa, la manera en la que de pronto se abría un espacio entre las hojas y de repente, desaparecía.

Pasaron diez minutos y aún no había señal de Allen. Escribí una nota en la que decía que regresaba a pie al motel y la dejé sobre el asiento. Caminé deprisa, y enseguida el aire de la montaña provocó que la respiración se me acelerara. Tropecé con una raíz y me torcí el tobillo, pero proseguí la marcha.

Casi había llegado a la carretera asfaltada cuando Allen paró el coche y abrió la puerta del pasajero. Yo seguí andando, y la portezuela abierta avanzaba a mi ritmo.

—Sube, por favor —imploró.

—¿Por qué? —pregunté yo.

—Porque estamos juntos en esto.

Allen colocó el pie en el freno y esperó hasta que yo me hube sentado y cerrado la puerta.

—Van a reunirse mañana por la mañana ahí abajo, a las diez —anunció Allen, levantando el pie del pedal.

—¿Por qué?

—Brennon quiere intentarlo otra vez.

—¿A quién piensa que va a meter en el remanso? ¿A Ronny? ¿A Joel?

—Habla de traer en avión desde Illinois a un antiguo miembro de la unidad de Operaciones Especiales de la Armada. Brennon cree saber qué ha hecho que el dique se derrumbara hoy. Dice que con unos cuantos ajustes de poca importancia, el dique será «viable».

—Brennon *cree* saberlo —dije yo, repitiendo las palabras de Allen—. Y Phillips, ¿va a dejarle intentarlo otra vez después de lo que ha ocurrido hoy?

—¿Quién sabe los intereses políticos que encierra este asunto? —se preguntó Allen, cuya voz también denotaba frustración—. ¿Quién sabe qué órdenes recibirá Phillips de Luckadoo, o del senador Jenkins, o incluso del maldito Gobernador?

Un kilómetro más arriba, el asfalto de la carretera de dos carriles estaba oscurecido por la lluvia reciente. Las llantas susurraban al avanzar.

No volví a pronunciar palabra hasta que aparcamos a las puertas del motel.

—Voy a echarme en mi cama —le dije a Allen.

—Puedes tumbarte en la mía.

—No. Quiero estar sola un rato.

—Estaré en mi habitación —dijo Allen—. Ven, si cambias de opinión.

Me cogió de la mano y dio la impresión de que no quería dejarme marchar. Yo me solté de un tirón.

—Vamos a tener que hablar de esto, Maggie —advirtió.

—Ahora, no —repuse yo, y me marché.

Cerré las cortinas de la habitación y localicé en la radio una emisora de entretenimiento. Sin quitarme la ropa, me tumbé sobre la cama e intenté no pensar. Me dolía la cabeza, pero no llevaba aspirinas en el bolso. Mantuve los ojos abiertos, porque sabía que, de cerrarlos, vería la aleta de Randy hundiéndose en el remanso.

La radio no me servía de ayuda, de modo que la apagué.

Me apremié a mí misma a centrar mis pensamientos en algo que no fuera aquel día, y lancé mi memoria como quien lanza un hilo de pescar.

Tenía entonces ocho años. Ben y yo vestíamos nuestra ropa de domingo, aunque era jueves por la tarde. Nos encontrábamos en la granja de nuestro abuelo materno. Él estaba en el cielo, según decían los mayores, aunque Ben y yo teníamos mejor criterio, porque habíamos echado una ojeada al ataúd. En cuanto nos comimos nuestras raciones de pollo frito y pastel de plátano, nos marchamos a hurtadillas de la reunión y nos encaminamos hacia el puente que cruzaba el canal de Licklog. Nos tumbamos en las planchas grises y llenas de astillas, con la frente pegada a la madera. Las arañas de agua pasaban rozando la superficie mientras las salamandras reptaban por el lecho arenoso. Una serpiente se desenroscó en la orilla y luego desapareció entre unos juncos.

Mientras contemplaba el agua, me decía a mí misma que mi abuelo había muerto, y luego susurré estas palabras con la boca apretada contra las tablas.

Y ahora, veinte años después, me acordé de una imagen que había olvidado: mi padre saltando por el alambre de espino, enfundado en su traje. Ben y yo dimos por sentado que nos castigaría, porque nos habían advertido de que nunca debíamos acercarnos a los arroyos o estanques sin que nos acompañara un adulto.

—No sé cómo se os ocurre venir hasta aquí solos —amonestó, pero su tono era amable—. Vuestro padre se moriría si a uno de sus pequeños le ocurriera algo malo.

Nos cogió en brazos y caminó corriente arriba hasta la cancela para ganado y después hasta el camión, donde esperaba mi madre.

Seguí tumbada en la cama unos minutos más y luego me levanté y me di una ducha. Dejé que el agua caliente me golpeara el cuello y la espalda hasta que el cuarto de baño se convirtió en una sauna. Noté que el sudor me brotaba por todo el cuerpo como si fuera otra capa de piel. No deseaba salir de la ducha, pero pasados veinte minutos el agua empezó a enfriarse. Me vestí y me dirigí a la habitación de Allen.

La puerta no estaba cerrada con llave. Allen se encontraba tumbado en la cama, y la única luz provenía de una rendija en las cortinas. Mientras mis ojos se iban acostumbrando a la oscuridad vi una pantalla de lámpara en el suelo, y fragmentos de la propia lámpara esparcidos por alrededor.

Miré al exterior y vi que el cielo de media tarde estaba despejado. «Ojalá hubieran esperado un día, tal vez unas cuantas horas», pensé.

Cerré las cortinas y me tumbé al lado de Allen.

—Algunos de esos niños que vimos en el café... —dijo él—. Eran hijos suyos, ¿verdad?

—Sí. Una niña y un niño.

Allen se apretó el dorso de la mano contra la frente, como si quisiera protegerse la cara ante un golpe.

—¿Qué edad tienen? —preguntó; su voz quedaba un tanto amortiguada a causa del brazo.

—Sheila, cuatro; y Gary, siete.

—Si pudiera haberme imaginado que este asunto iba a terminar así...

—No podías —interrumpí yo—, aunque no puedo decir lo mismo con respecto a mí. Joel sabía que podía ocurrir; Randy y Ronny, también. Yo debería haberlo sabido; en realidad, lo sabía.

—Les advertiste —indicó Allen.

—Sí, pero demasiado tarde.

Allen me colocó la mano en el cuello y me giró hacia él.

—Era un buen padre para esos niños, ¿verdad?

—Por lo que tengo entendido, sí.

—Un padre mejor que yo —murmuró Allen, y me atrajo hacia sí.

Nos abrazamos con fuerza, y por un momento contemplé la posibilidad de desvestirme, de colocar mi mano en su nuca y acercar su boca a mi piel.

Pero también imaginé cómo nos sentiríamos después, con el olor a sexo pegado a nuestros cuerpos, las sábanas enredadas y la luz del atardecer colándose por la ventana. Tal vez lograríamos relegar momentáneamente lo que había ocurrido aquel día, y acaso encontraríamos fuerzas para mantener el ánimo durante el resto de la tarde y la noche; pero también existía la posibilidad de que esa distracción pasajera resultara mucho más triste precisamente por su transitoriedad. La habitación se notaría más vacía y el espacio entre Allen y yo, entre nosotros y nuestros corazones, más dilatado.

Yo no estaba preparada para que corriéramos ese riesgo; todavía, no.

Rocé los labios de Allen con los míos.

—Tengo que irme —anuncié.

—No —repuso él, y luego apretó su boca bruscamente contra la mía. Con los dedos, intentó desabrochar el botón metálico de mis vaqueros. Aparté mis labios de los suyos.

—No —dije con voz brusca. Coloqué las palmas de las manos en el torso de Allen y le empujé hacia atrás. Como una marioneta a la que de repente le sueltan las cuerdas, su cuerpo entero se desplomó. Se quedó tumbado de espaldas.

—Dios mío, Maggie; lo siento mucho —susurró.

Me pasé un dedo por el labio superior. No había sangre, aunque más tarde se inflamaría. Me bajé de la cama. Durante unos segundos me quedé allí, de pie, albergando la esperanza de que uno de nosotros encontrara alguna palabra o gesto que hiciera que las cosas volvieran a estar bien. Pero fue inútil.

Me acerqué a la puerta y coloqué la mano en el pomo. Lo solté y me di la vuelta en dirección a la cama.

—¿Vas a ir a la asamblea, mañana?

—Sí —respondió él—. ¿Por qué no? He seguido el asunto desde el principio. Se lo debo a alguien, aunque no sé bien a quién.

—Te acompañaré —dije yo.

Miré por la ventana una última vez; el sol descendía por el cielo, pero éste seguía azul. Sólo se habrían necesitado unas horas más.

—¿Quieres que abra las cortinas?

—No —respondió Allen—. Déjalas cerradas.

* * *

No regresé a mi habitación, sino que me marché del motel Y caminé el kilómetro de distancia hasta la tienda de Billy. Ascendí los escalones del porche y abrí la puerta de malla metálica. Wanda estaba sentada en un taburete, detrás del mostrador. Sus hijos se encontraban arrodillados junto al arcón de bebidas, construyendo una cabaña con leños de juguete.

—Hola, Maggie —dijo Wanda cuando me vio entrar. Era un saludo mecánico.

Atravesé el establecimiento hasta llegar a la segunda hilera de estantes y cogí un bote de aspirinas.

—Un dólar treinta y ocho —dijo Wanda cuando coloqué el bote sobre el mostrador. Recogió los billetes sin mirarme y abrió la caja registradora.

—¿Dónde está Billy? —pregunté.

Entonces, Wanda levantó los ojos.

—Ha ido a ver a Jill Moseley y a los niños, por si puede hacer algo por ellos.

Los chicos detectaron la aspereza en la voz de su madre. Hicieron una pausa en el juego y levantaron la vista para mirarla a ella y luego, a mí.

—¿Crees que puedo hacer algo para ayudar?

—No —respondió Wanda—. Ya haremos nosotros lo que se pueda.

La caja registradora produjo un ruidoso sonido cuando Wanda la cerró de un golpe.

—Esto no es Columbia —observó—. Aún cuidamos de los nuestros.

—Ya lo sé —repliqué yo—. Me crié aquí.

Wanda miró a sus hijos para asegurarse de que seguían jugando.

—Entonces sabes a lo que me refiero cuando hablo de cuidar de los nuestros. Cuidamos de nuestros vecinos antes que de la gente que viene por aquí y nos lanza a la cara que somos unos pueblerinos ignorantes. Cuidamos de nuestros propios padres antes de preocuparnos por el padre de alguien a quien no conocemos.

Me entregó el cambio, dejándolo caer de manera que nuestras manos no llegaran a rozarse.

—Adiós, Wanda —dije.

Volví caminando hasta el motel y una vez en mi habitación me tomé dos aspirinas. Luego, descolgué el teléfono. Mi padre contestó al tercer timbrazo.

—Supongo que te has enterado de lo de Randy.

—Sí, Margaret me llamó —respondió él, con tono cauteloso.

—Yo estaba presente.

—También lo sé.

Hizo una pausa. Una aspiradora empezó a rugir en el pasillo a espaldas de mi habitación, y me pegué el auricular al oído, cubriéndolo con la mano.

—Margaret me ha dicho que el reverendo Tilson va a celebrar un servicio religioso en el río, por la mañana.

—¿En qué parte del río? —pregunté.

—Allí mismo, en el acantilado del Lobo.

—No es fácil llegar al acantilado, incluso después del paso de la excavadora —repuse yo—. El camino es muy resbaladizo.

—La madre y la mujer de Randy quieren que sea allí. Supongo que el reverendo Tilson se siente obligado a hacer lo que le piden. Yo iría si pudiese caminar de vuelta después de haber bajado la cuesta, pero esa quimioterapia me está dejando en las últimas.

—¿Te encuentras peor? —pregunté.

—Ya me lo avisaron los médicos; no me coge por sorpresa.

Con la mente, fui siguiendo la línea telefónica que subía por la Autopista 76, bordeaba los pastos y los huertos frutales, bajaba por la carretera de la iglesia de Damasco y luego cruzaba el prado hasta el cuarto de estar de mi padre, donde él estaba sentado, con las fotografías enmarcadas de su mujer y sus hijos mirándole desde lo alto.

—Con respecto a la semana pasada —comencé yo, y luego me detuve. Deseaba decir que lo sentía, que lamentaba un montón de cosas.

Pero las disculpas se negaban a salir, porque me estaba imaginando cómo Wanda o Jill Moseley reaccionarían ante ellas. Aquellas mujeres tendrían derecho a alegar lo conveniente que me resultaba volverme, de repente, tan compasiva. Mi padre podría opinar lo mismo.

—Ya me dijiste lo que pensabas —replicó él, con un matiz de arrogancia en la voz—. Dejaste bien claro lo que opinas de mí.

La aspiradora dejó de sonar. Escuché cómo la arrastraban por el pasillo.

—Me gustaría arreglar las cosas entre nosotros —dije.

—Pues no ha dado esa impresión —repuso mi padre—. Eso es lo que yo he intentado hacer desde que llegaste.

Una chispa de cólera estalló en mi interior, pero no llegó a prender. Yo estaba demasiado hastiada como para alimentarla.

—Voy a esforzarme —aseguré.

Mi padre se quedó en silencio unos instantes.

—Lamento que estuvieras allí hoy —dijo—. Ojalá hubiera sido de otra forma.

—Ya lo sé —respondí yo, y me despedí de él.

Aquella noche dormí, más de lo que había considerado posible. Me desperté una sola vez, y el reloj de la radio marcaba las dos y veinte. Me pregunté si Allen estaría despierto. Pensé en lo agradable que sería encontrarme con él en la cama, con su pecho apretado en mi espalda y sus rodillas plegadas detrás de las mías. Una ráfaga de brisa agitó las cortinas. Los grillos y las ranas de San Antonio otorgaban voz a la maleza y las ramas. A menudo había tenido dificultad para conciliar el sueño en Laurens y en Columbia, y siempre daba por sentado que mi insomnio se debía al ruido del tráfico, de los vecinos cerrando puertas o arrastrando cubos de basura hasta el bordillo de la acera; pero ahora caía en la cuenta de que también era a causa de lo que no escuchaba, de la ausencia de lluvia sobre el tejado de hojalata y el silencio de los grillos, las ranas de San Antonio, las lechuzas y los chotacabras. Eran sonidos que habían llegado a formar parte de la noche en tal medida que ni siquiera se apreciaban hasta que se hallaban ausentes.

Reflexioné sobre las palabras que estuve a punto de decir a mi padre.

—Lo que puede pronunciarse ya está muerto en el corazón —solía decir Luke.

Nietzsche. En mi opinión, no siempre era así; pero, efectivamente, las palabras podían resultar fáciles, simples movimientos de la boca. Mientras yacía tumbada intentando dar voz a mis sentimientos hacia mi padre, hacia mí misma, mis expresiones sonaban huecas. Huecas y calculadoras.

Finalmente, volví a quedarme dormida. Soñé con un rostro que me miraba desde el fondo del remanso en la cascada del acantilado del Lobo. El agua estaba turbia, pero lentamente empezó a aclararse, y el rostro se fue volviendo cada vez más familiar.

El reverendo Tilson había envejecido desde que la última vez que le vi, en gran parte debido al infarto que había sufrido el diciembre anterior. Nuevas arrugas le surcaban el rostro, y la caída de sus hombros resultaba más pronunciada. Había sido un hombre lleno de energía que raramente permanecía detrás del púlpito cuando predicaba, sino que recorría los pasillos Biblia en mano, incluso mientras leía un pasaje. Los domingos de verano no llevaba traje o corbata, sino que daba su sermón enfundado en una camisa blanca de manga corta y los pantalones negros de su único traje. El sudor le empapaba la camisa, y se le pegaba a la piel como la gasa a una herida. Cuando yo tenía doce años, me llevó en brazos al Tamassee. Cuando me introdujo en el agua, noté que sus bíceps se tensaban contra mi espalda.

—Ya formas parte de los hijos de Dios —me dijo mientras yo salía balbuceando del agua—, y así será por siempre.

Ahora, dieciséis años más tarde, el reverendo hacía una pausa después de cada paso como si dudara de que el suelo pudiera sostenerle en pie. Su hijo le ayudó a bajar por el sendero hacia la orilla situada bajo la cascada del acantilado del Lobo, donde se habían congregado los feligreses; una vez allí, fue caminando solo hasta el borde mismo del agua. Dio la espalda al río y se colocó frente a los fieles.

Desde el ángulo en el que yo me encontraba, distinguí rostros que había conocido desde mi niñez, algunos de ellos de mis propios parientes. Varios me devolvían la mirada, y sus ojos daban a entender que sabían que yo había tenido que ver con el hecho de que estuvieran allí reunidos esa mañana. Jill Moseley y su suegra se encontraban en el centro, arropadas por el resto de los feligreses. Únicamente Ronny no vestía su ropa de domingo, sino vaqueros, camiseta negra y deportivas. Sus hijos no se hallaban presentes, ni tampoco los de Randy.

Río arriba, el *sheriff* Cantrell y Walter Phillips estaban en el lugar en el que se había erigido el dique. A la derecha del *sheriff* se veían el traje de neopreno, la bombona de oxígeno y las aletas de Ronny. Luke estaba sentado, solo, en lo alto del cerro. Llevaba la misma ropa del día anterior. Yo sabía que él, al igual que Hubert McCure, no se habían movido de allí en toda la noche.

El reverendo Tilson inclinó la cabeza.

—Señor, escucha nuestras plegarias. No permitas que nuestros corazones se atormenten en estos momentos de dolor —dijo con voz aún potente—. Haznos saber que nos acompañas esta mañana, Señor, en nuestra adversidad. Amén.

—Amén —corearon los fieles.

El reverendo Tilson levantó la cabeza.

—Ahora, rezaremos de uno en uno. Abramos al Señor nuestros corazones, permitamos que conozca nuestras necesidades en este momento de infortunio. Quien lo desee, puede empezar.

—Volveré enseguida —le dije a Allen, y recogí mi mochila. Empecé a subir por el sendero mientras Agnes Moseley rezaba por el alma de su hijo.

Al poco rato, dejé el camino y me dirigí hacia la cueva. Al entrar, encendí el flash de mi cámara y volví a sentir el frío y la humedad del ambiente. Coloqué la luz por delante de mis pies y al cabo de unos minutos llegué a los restos de hoguera. Junto a ellos había canicas y un tren de juguete que la tía Margaret le había comprado a Ben cuando aún estaba en el hospital. En el suelo de la cueva también se veían latas de refrescos vacías y envoltorios de golosinas.

Y una caja de acuarelas, abierta, con un pincel junto a ella. Iluminé la pared de la cueva con la luz.

La figura hecha con palos aún seguía en la pared, pero se habían sumado a ella tres figuras más; una del mismo tamaño y dos más grandes. También tenían los brazos levantados. La cara de la figura original aparecía ahora manchada de negro, no con pintura, sino con cenizas. La segunda figura también estaba tiznada, pero no en la cara, sino en un brazo y una pierna. Las esculturas de mayor tamaño no tenían marcas oscuras, pero un brazo de cada una estaba enlazado a un brazo de una figura de menor tamaño. Los cuatro rostros miraban hacia arriba, y lágrimas de pintura blanca les brotaban de los ojos.

Me senté en el suelo. Apagué el flash y metí la cabeza entre las rodillas. No quería ver, ni tampoco ser vista.

Pasado un rato, me levanté y caminé de regreso al río. La última de las plegarias estaba siendo entonada cuando me reuní con Allen.

—Hermana Lusk, ¿querría cantar para nosotros? —solicitó el reverendo cuando nadie más levantó la mano para orar.

La tía Margaret asintió con la cabeza y dio un paso hacia adelante. Las horas que pasaba en su jardín le habían bronceado los brazos y la cara, y daba la impresión de que se hubiera fortalecido con el paso de los años.

Ella y mi padre se parecían ahora menos entre sí que en cualquier otro momento de sus vidas; pero los ojos de ambos eran iguales, tenían el mismo matiz de azul, un tono idéntico al de mis ojos.

Mi tía había cantado en festivales de góspel, bodas y funerales desde su adolescencia, y había aceptado invitaciones para actuar en lugares tan lejanos como el Oeste de Virginia. En 1985, la Smithsonian había grabado sus interpretaciones para su colección de música tradicional norteamericana. Pero la tía Margaret siempre decía que lo que más le gustaba era cantar para su familia y amigos.

Miró en mi dirección y asintió con un gesto, con una expresión tan franca y generosa como siempre. Comenzó a cantar.

Reunámonos en el río,
donde dejan su huella los ángeles.
La cristalina corriente fluye, eterna,
junto al trono de Dios.

Sí, nos reuniremos en el río,
el hermoso, hermoso río;
Nos reuniremos con los santos en el río
que fluye junto al trono de Dios.

En el cerro por encima de mi cabeza oí voces. A través de los árboles vi a Brennon y su cuadrilla acarreando el material. Herb Kowalsky les seguía. Su mujer no le acompañaba, pero sí lo hacía un hombre que cargaba con una bombona de oxígeno y una bolsa de lona. Al otro lado, Luke ya no estaba solo. Carolyn y varios más de sus seguidores se habían unido a él.

Pronto llegaremos al luminoso río,
pronto cesará nuestro peregrinaje.

La voz de mi tía hacía eco en el acantilado del Lobo. Miré a Ronny e intenté recordar la última vez que le había visto sin su mellizo al lado.

Sí, nos reuniremos en el río,
el hermoso, hermoso río;
Nos reuniremos con los santos en el río
que fluye junto al trono de Dios.

—Gracias, hermana Lusk —dijo el reverendo Tilson al tiempo que los hombres de Brennon dejaban caer sobre la orilla el equipo que acarreaban. Brennon condujo a su cuadrilla sendero arriba para recoger el resto del material, dejando atrás a Kowalsky y al submarinista.

Walter Phillips dio unos pasos para aproximarse al sendero.

—Señor Brennon —dijo Phillips, pero éste no se dio la vuelta—. Aún no hemos terminado la reunión, señor Brennon —prosiguió—. Nadie va a mover un dedo hasta que yo no esté convencido de que lo que ocurrió ayer no puede volver a suceder.

Brennon se giró.

—Ya oyó usted lo que Luckadoo dijo anoche por teléfono —replicó, y continuó ascendiendo el sendero, con sus hombres tras él. Kowalsky y el buzo no se unieron al *sheriff* Cantrell y Phillips, sino que permanecieron en lo alto del camino.

Cuando el silencio volvió a reinar en el acantilado, el reverendo Tilson abrió una desvencijada Biblia, cuyas pastas estaban unidas con cinta aislante negra.

—Palabra del Señor —dijo, y procedió a leer—: «Pues he aquí que hubo un gran terremoto. El ángel del Señor descendió del Cielo, removió la piedra de la entrada y se sentó sobre ella. Su figura era como un relámpago y su vestidura, blanca como la nieve. Los guardias se asustaron tanto que cayeron al suelo como muertos. Y el ángel dijo a las mujeres: '¡No temáis! Sé que buscáis a Jesús, que fue crucificado. No está aquí, pues ha resucitado'».

El reverendo Tilson cerró la Biblia. Entró en el río y se detuvo cuando el agua le llegó a las pantorrillas.

—Cristo resucitó para que todos nosotros pudiéramos resucitar también —declaró, agitando la Biblia por encima de la corriente—. Cierto es que Randy Moseley, nuestro hermano en Cristo, se encuentra en este río; pero si es voluntad de Dios, esta mañana se levantará de las aguas y se reunirá con nosotros.

Jill Moseley se sujetó al brazo de Ronny mientras, lentamente, hincaba las rodillas en la arena, una detrás de la otra. Otros fieles se arrodillaron también.

—¡Resucítale, Señor! —exclamó Wallace Eller.

Allen se inclinó hacia mí, apretándome el brazo con la mano.

—¿Creen de veras que sus oraciones pueden hacer que resucite?

—Sí —confirmé yo—. Lo creen.

—Resucita su alma, Señor —gritó el reverendo Tilson—, tal como prometiste. Y te suplicamos algo más, Señor; te suplicamos que eleves su cuerpo del río para que su familia pueda verlo por última vez.

—Por favor, Señor —imploró Jill Moseley, con los ojos cerrados y voz ferviente. Levantaba el rostro y las manos, y el sol de la mañana se le posaba en la frente como una mano de luz.

—Él fue bautizado en este río, Señor —prosiguió el reverendo Tilson. El anciano se agachó de manera que los dedos de su mano izquierda tocaran el agua, que le formaba remolinos alrededor de los tobillos—. En Tu nombre, yo le levanté de este río con mis propios brazos. Soy demasiado viejo para levantarle ahora, Señor. Ahora sólo Tú puedes hacer que salga de estas aguas.

El reverendo Tilson dirigió su mano empapada hacia el hidráulico.

—Y esa niña que yace junto a él, a quien sus padres otorgaron el nombre de Ruth, un nombre divino, Señor. Saca también a la luz su cuerpo y su alma.

Todos los allí reunidos se arrodillaron, con la excepción de Ronny y el reverendo Tilson.

Yo también me hinqué de rodillas. Allen vaciló, y luego se arrodilló en la arena junto a mí.

—Señor, atiende nuestras plegarias —continuó el reverendo Tilson—, mientras te hacemos nuestras peticiones en esta orilla del río. Escúchanos, Señor. Amén.

—Amén —contestaron los fieles, y se dispersaron formando grupos de tres o cuatro para arrodillarse juntos y tomarse de las manos. Sus oraciones se fundían con el sonido del río. Allen me ayudó a levantarme.

Ronny caminó corriente arriba. Al pasar junto a nosotros, no nos hizo gesto alguno de saludo ni pronunció palabra. Tampoco habló a nadie más. Encontró un hueco entre Kowalsky y Phillips y se puso en cuclillas, no en actitud de oración, sino como si estuviera en su huerto, con las caderas rozando la parte de atrás de sus pantorrillas, sin llegar a tocar el suelo, mientras se mecía ligeramente sobre los talones.

—¿Qué hace? —preguntó Allen.

—Asegurarse de que forma parte de lo que vaya a suceder —respondí.

Pasados unos minutos, Brennon y sus hombres regresaron sendero abajo con el resto del material. Kowalsky y el buceador se unieron a ellos, al igual que el *sheriff* Cantrell, Ronny y Walter Phillips.

—Bueno, ¿y para qué quiere que nos reunamos? —preguntó a Phillips, aunque no le miraba, sino que dirigía la vista hacia sus hombres, que examinaban el equipo.

Walter Phillips parecía extenuado. De haber conciliado el sueño la noche anterior, habría sido por poco tiempo. Me pregunté qué le habría mantenido despierto. ¿La frustración, la tensión nerviosa, acaso un sentimiento de culpabilidad? Tal vez tuviera alguien en quien poder confiar, un buen amigo o un pariente cercano; pero fuera quien fuese, no se encontraba en el condado de Oconee. Aquella mañana, al parecer, se encontraba solo.

—Quiero saber por qué tengo que creerme que ese dique suyo va a funcionar hoy mejor que ayer —repuso Walter Phillips.

—El caudal está más bajo —respondió Brennon con brusquedad—. Wilkinson ha dicho que ha bajado a cuarenta y cinco. —Hizo un gesto en dirección al río—: Mire lo claro que está en comparación con ayer.

—Si ese dique no puede mantenerse en pie a cincuenta y cuatro centímetros de crecida —argumentó Phillips—, ¿por qué iba a hacerlo a nueve centímetros menos?

—Estamos malgastando tiempo —interrumpió Brennon—, puede ponerse a llover de un momento a otro.

—No vamos a precipitarnos —precisó Phillips. Mientras hablaba, le miré las manos y vi que apretaba los puños como en mi fotografía. Sus hombros parecieron ensancharse ligeramente, y dio la impresión de que tensaba el estómago como preparándose para recibir un golpe. O, acaso, propinarlo.

—Que instale el dique, y me meto en el agua —dijo Ronny, y señaló al submarinista—. Él no tiene por qué hacerlo. Es mi hermano el que está ahí adentro. Yo me arriesgaré.

—No me asusta intentarlo —replicó el buzo, dirigiéndose a Ronny y a Phillips.

—Entonces, entraremos los dos —zanjó Ronny.

Walter Phillips tomó la palabra y habló en voz baja, tan baja que en un primer momento nadie pareció entender lo que decía.

—¿Qué dice usted? —preguntó Herb Kowalsky.

—Que nadie va a entrar al río. No se va a instalar el dique hasta que yo tenga una buena razón para creer que se mantendrá en pie.

—No puede hacer eso —estalló Brennon, con el rostro encendido de ira—. Ya oyó lo que Luckadoo dijo anoche: que siguiéramos adelante si yo estaba convencido de que el dique resistiría. No habló de usted; se refería a mí.

—Luckadoo no está presente —observó Phillips—. Es mi responsabilidad.

En ese momento supe que Walter Phillips ya podía irse despidiendo de cualquier expectativa de carrera profesional en el Servicio Forestal. Sospeché que él también lo sabía, y que al día siguiente, o acaso diez, treinta años más tarde, volvería la vista atrás lamentando ese momento.

—No puede hacer eso —intervino Herb Kowalsky, pero el tono apesadumbrado de su voz denotaba que sabía que Phillips podía hacerlo. Y lo había hecho.

Brennon dirigió la vista a sus hombres. Habían dejado de desembalar el equipo y miraban a su jefe, aguardando instrucciones.

Brennon volvió la atención a Phillips.

—¿Qué pasa si seguimos adelante y construimos el dique de todas formas? ¿Qué piensa hacer?

—Detenerles —repuso Phillips.

Observé la reluciente pistolera negra que portaba en la cadera. Probablemente, Walter Phillips había sacado aquella pistola unas cuantas veces en el cumplimiento de su trabajo. Miró a Brennon. Ni sus ojos ni su voz mostraban miedo o nerviosismo, sino determinación.

Brennon se giró hacia el *sheriff* Cantrell.

—¿De qué lado está usted?

El *sheriff* Cantrell señaló a Phillips con la cabeza.

—Del suyo —respondió. Cantrell elevó la voz para que la cuadrilla de Brennon pudiera oírle—; y mi ayudante, también. Si uno de sus hombres siquiera mete el pie en ese río, les encerraré entre rejas a él y a usted.

—No tiene derecho a actuar de esa manera, *sheriff* —bramó Herb Kowalsky—; y Phillips, tampoco.

—Ya me ocuparé yo de los derechos que tengo, señor Kowalsky —respondió el *sheriff* Cantrell—. Lamento lo de su hija, de veras lo lamento; pero ya ha muerto un hombre intentando sacarla del agua. No permitiré que el río mate a otro más.

—Esto va a costarle su empleo —advirtió Brennon al *sheriff* Cantrell.

Éste esbozó una sonrisa.

—El puesto de *sheriff* es un cargo electo en el condado de Oconee, señor Brennon. No solemos recibir muchos votos por correo desde Illinois.

—Voy a llamar a Luckadoo en cuanto regrese al motel —dijo Brennon, e hizo señas a sus hombres para que empezaran a recoger el material.

Esperé a que Kowalsky siguiera profiriendo amenazas, pero el semblante que había mostrado en las asambleas y en el río pareció desplomarse como una máscara. Recordaba al de su mujer, cuando ésta tomó la palabra en el centro comunitario. Algo también debía haberse roto en su interior o tal vez, hasta el momento, sólo había sido capaz de ocultar esa rotura tras una fachada de cólera e indignación. No siguió a Brennon o a su cuadrilla sendero arriba. En cambio, caminó diez metros corriente abajo y tomó asiento en una roca. Me pregunté si estaría meditando qué decir a su mujer o, simplemente, retrasando la noticia unos minutos más.

Ronny empezó a caminar corriente arriba.

—Más vale que dejes ese equipo de buceo donde está, Ronny —advirtió el *sheriff* Cantrell—. Voy a quedármelo unos cuantos días.

Ronny no se dio por enterado de las palabras del *sheriff*, pero tampoco intentó recoger su equipo. Caminaba en dirección al oficio religioso del reverendo Tilson cuando, de repente, se giró en redondo y volvió sobre sus pasos en dirección al sendero. Siguió a los últimos hombres de Brennon cerro arriba.

—¿Dónde crees que va? —preguntó Phillips.

—No lo sé —respondió el *sheriff* Cantrell—; pero cuanto más lejos se marche, mejor.

El reverendo Tilson y sus fieles continuaban rezando en grupos de tres o cuatro. El murmullo de las plegarias se mezclaba con el sonido del río. «Es domingo por la mañana», pensé, como si hasta entonces no me hubiera dado cuanta. Domingo por la mañana en un lugar donde tal circunstancia significaba algo más que levantarse tarde y leer ociosamente el periódico dominical.

Ahora la luz del sol entraba con fuerza en el acantilado, calentando las rocas, iluminando el río. Las efímeras amarillas revoloteaban por encima del remanso a los pies de la cascada del acantilado del Lobo; las hembras se sumergían de vez en cuando para depositar sus larvas en el agua. Una trucha atravesó la superficie. En los bosques situados a mis espaldas, un pájaro carpintero golpeaba con el pico el tronco de un árbol como si estuviera enviando un mensaje en clave. Era una mañana primaveral, diferente a las de los días pasados. El Tamassee y sus orillas parecían más ajetreados, más llenos de vida. Miré los rododendros y los arbustos de laurel de montaña.

Pronto florecerían, y los capullos se aglomerarían en las márgenes con sus brillantes tonos blancos y rosados.

Herb Kowalsky seguía sentado en la roca, corriente arriba. Parecía haber empequeñecido. No era un hombre amable, y debía de resultar difícil trabajar con él, tal vez convivir con él también; pero en ese momento deseé mostrarme más bondadosa. Quise creer que había prestado tanta atención a su hija en vida como en la muerte. Deseaba que, a pesar de la culpa o el sufrimiento que sintiera, contara con saber, más allá de toda duda, que había sido un buen padre.

Allen me rodeó la cintura con el brazo.

—Phillips está cumpliendo con su deber.

—Sí, es verdad —convine yo—. Ojalá sus superiores lo entiendan de esa manera.

—¿Qué pasará ahora?

—Depende de si Phillips consigue apoyos. Cuando llegue el mes de julio, en el río habrá más rocas que agua. No tendrían problema para llegar a la incisión en la roca.

—¿Crees que estarán dispuestos a esperar tanto tiempo?

—No lo sé.

Alguien bajaba a toda prisa por el sendero. Me giré, esperando ver a Brennon o a alguno de sus hombres; pero era Ronny, con una mochila colgada al hombro. Salió del camino y atajó a través de las matas de laurel hasta llegar a la cola del remanso.

—¿Qué haces, hijo mío? —preguntó el reverendo Tilson al tiempo que Ronny se adentraba en el agua. El reverendo Tilson dio varios pasos vacilantes en dirección a él—. ¿Qué haces, hijo mío? —repitió.

—Sal de ahí, Moseley —gritó el *sheriff* Cantrell.

Nadie se movió mientras Ronny abría la mochila y extraía tres cartuchos de dinamita sujetos con cinta adhesiva de color gris, como formando un ramillete.

Luke reaccionó en primer lugar, y salió corriendo cerro abajo mientras Ronny prendía la llama de un encendedor. Le llevó tres intentos encender la mecha. El *sheriff* Cantrell, Walter Phillips y Hubert McClure habían llegado hasta el borde del remanso, pero no se metieron en el agua.

—Ni se te ocurra —advirtió el *sheriff* Cantrell.

—No tengo más remedio —replicó Ronny, y se adentró en el remanso, levantando la dinamita con la mano izquierda a medida que el agua le alcanzaba a la altura del pecho.

El reverendo Tilson alzó la mano como para hacer una declaración mientras Luke atravesaba el último matorral de laurel de montaña y se plantaba sobre las rocas que miraban al remanso. Como al resto de nosotros, sólo le dio tiempo a observar cómo Ronny lanzaba la dinamita al lado derecho de la cascada.

Ronny se giró y empezó a salir del agua al tiempo que el *sheriff* Cantrell y Walter Phillips retrocedían del borde del remanso. Allen intentó tirar de mí hacia el bosque, pero me negué a moverme.

—Gira la cabeza —me gritó Allen, pero mis ojos estaban clavados en Luke. Se había lanzado al remanso y nadaba por debajo del agua en dirección a la cascada. Iba en busca de la dinamita, tal vez para arrancar la mecha; tal vez para utilizar su cuerpo como escudo y proteger el río.

Todo estaba en silencio, tanto así que me pareció escuchar el siseo de la mecha bajo la corriente.

Entonces, el suelo bajo mis pies comenzó a temblar y el remanso se disparó hacia arriba como si fuera un géiser.

El reverendo Tilson se encontraba de pie en la zona poco profunda; su camisa blanca estaba empapada. Una de las mujeres de entre los fieles lanzó un grito. La nuca de Ronny sangraba. El *sheriff* Cantrell y Walter Phillips le agarraron por los brazos y le obligaron a sentarse en un banco de arena.

Walter Phillips se arrodilló junto al *sheriff* Cantrell, impidiéndome la visión.

—¿Es grave? —preguntó.

—Creo que no —respondió Cantrell.

Luke regresaba a la orilla de enfrente dando traspiés, con la cara cubierta de sangre.

El reverendo Tilson seguía en el agua, con la mano aún levantada. Clavaba la mirada en el río.

—¡Dios mío! —exclamó Herb Kowalsky.

Entonces, pude ver lo que ellos ya veían: los cadáveres de Randy Moseley y Ruth Kowalsky elevándose hacia la luz desde las profundidades del remanso.

273

Capítulo 10

Después de una muerte, todo en una casa parece ligeramente transformado: el color de un jarrón, la longitud de una cama, el peso de un vaso que se saca de una alacena. No importa cuántas persianas se suban o cuántas lámparas se enciendan: la luz siempre resulta más mortecina. Las sombras tejidas en los rincones aumentan de tamaño y grosor. Los relojes marcan la hora un poco más alto, y el silencio entre un tictac y otro parece prolongarse. Da la impresión de que la propia casa perdiera su posición anterior, como si los cimientos se hubieran reajustado al peso y movimiento del difunto.

Esa es la sensación que tengo esta tarde de octubre mientras empaqueto la ropa de mi padre. Ya se han efectuado todos los arreglos necesarios. Joel ha recibido el caballo y la vaca; el camión se ha donado a Salvemos el Bosque, la asociación de Luke; se han llevado a cabo los trámites legales; varios cuadros y otras reliquias familiares ocupan el maletero del Toyota; se han aclarado las cosas con Tony Bryan, quien erróneamente creía que Ben y yo teníamos intención de vender.

Después de dos meses, regreso a Columbia.

—No te preocupes por tu empleo —me aseguró Lee en agosto—. Seguirá aquí. Tú encárgate de cuidar a tu padre.

Y eso hice, en esta misma habitación donde vaciaba orinales en lugar de cajones; donde le llevaba a los labios analgésicos y jarabe para la tos, así como la comida y el líquido que era capaz de tragar; le bañaba, frotándole con una esponja y luego le aplicaba pomada contra las irritaciones cutáneas que tenía por todo el cuerpo. La ventana está abierta, como lo ha estado casi toda la semana; pero el olor rancio a orina y sudor aún permanece.

Sólo una parte de lo que hay en los cajones está en condiciones de donarse a una organización benéfica. Algunos vaqueros y pantalones de faena; varios pares de calcetines azules y una camisa de vestir blanca, aún envuelta en celofán; dos jerséis y un par de cinturones. Nada más. Las camisetas con manchas grises de sudor, los calcetines rotos por el talón y los monos de trabajo deshilachados por las rodillas, la ropa interior y los pañuelos: todo eso irá a la basura.

Traslado dos cajas al coche. Las introduzco en el asiento de atrás, me doy la vuelta y me quedo mirando a través del prado a la iglesia pentecostal de Damasco, me fijo en las hileras de lápidas que se elevan a sus espaldas. Es fácil divisar la tumba debido a las flores impropias de la estación, plantadas en un montículo de tierra negra. Joel y Billy cavaron la tumba porque, como una vez me dijo Wanda, aquí «cuidamos de los nuestros».

Escucho un crujido en la grava y veo que la tía Margaret sube por el camino que conduce a la casa. Con una

276

mano, se sujeta un chal alrededor del cuello; en la otra, lleva el correo de un hombre muerto.

—Tienes que ponerte algo más que una camiseta, niña —me dice—. Estamos en octubre, no en julio.

Hago una señal hacia la vivienda.

—Acabo de salir. Además, llenar y acarrear estas cajas es suficiente para entrar en calor.

La tía Margaret me entrega el correo.

—Creo que no es más que publicidad —afirma, mientras yo meto los sobres en el bolsillo de mis vaqueros—. Ya he terminado mis faenas, de modo que he venido por si podía ayudarte.

—Casi he acabado —respondo—. Cargaré una caja más y me pondré en camino.

—¿Cuándo volverás?

—No antes de Acción de Gracias. Tengo mucho trabajo acumulado.

La tía Margaret me mira a los ojos.

—¿Qué pasa con el terreno sentimental? ¿También se te ha acumulado el trabajo?

—Puede ser —replico yo, sonriendo—. Digamos que aún me gusta el olor de él.

Ella también sonríe.

—No son cuentos de vieja, muchachita. Hay formas mucho peores de juzgar a un hombre.

La tía Margaret mira la casa y detiene su mirada unos segundos. Me pregunto si a ella también le parece diferente. Cuando se gira hacia mí, las lágrimas le humedecen las mejillas.

—Me despediré ahora —dice—, para que luego puedas despedirte tú.

La tía Margaret me abraza. Huelo el jabón Ivory con el que se baña, los polvos de talco que se aplica sobre la piel mañana y noche. Me sujeta con fuerza, como si quisiera recordar exactamente cómo soy al tacto, como para imprimir una huella de mi cuerpo en el suyo. Es consciente de que, aunque goza de buena salud para sus ochenta y dos años, a su edad, cada despedida puede ser la última. Me suelta, pero detiene sus manos sobre mis brazos unos momentos más.

—Cuídate mucho, Maggie —dice, llevándose la mano al bolsillo y sacando un pañuelo de papel—. Más vale que me vaya antes de montar un espectáculo.

Vuelve sobre sus pasos por el camino, llevándose el pañuelo a los ojos a medida que avanza.

Regreso al interior de la casa para llenar una última caja con la ropa de mi padre, para despedirme, para cerrar algo más que esta casa antes de partir. Pero no resulta fácil. Me gustaría decir que nos reconciliamos en estos últimos meses; que mientras le cuidaba, el pasado fue, sencillamente, olvidado. Pero hubo ocasiones en las que antiguos agravios volvieron a emerger a la superficie y la parte menos angelical de nuestras naturalezas se alzó con la victoria. Cuando eso sucedía, era fácil pensar que en realidad nada había cambiado entre nosotros.

Y sin embargo, sí se produjeron cambios. Tuvimos nuestros cautelosos y solapados gestos de reconciliación, y no siempre fueron interesados, no siempre inútiles. Tal vez éramos incapaces de ir más allá, sobre todo en un lugar donde la tierra misma se mete hacia adentro, se encierra y se aparta del resto del mundo.

Lo único que queda es el armario. Abro la puerta y me llega el olor a naftalina y el hedor rancio y mohoso de ropa encerrada a oscuras durante años. También percibo el ligero olor a tabaco. Mientras las perchas chocan ruidosamente entre sí, descuelgo camisas de algodón y de franela, luego hurgo en el interior para sacar dos pares de pantalones caqui, un grueso abrigo de invierno y una cazadora de tela vaquera. Los meto en la caja de cartón, pero después saco la cazadora y me la pongo. Me coloco delante del espejo del tocador. Las mangas me llegan a los nudillos, y la tela se abulta en los hombros. No es de mi tamaño, desde luego, pero tampoco está mal. Enrollo las mangas y a continuación levanto la caja y la saco al exterior.

Mientras recorro en el coche la carretera de la iglesia de Damasco, la mañana es fresca y limpia, y el cielo de octubre se despliega en lo alto sin el mínimo atisbo de nubes grises o blancas, tan sólo aprecio una extensión azul, tirante como una pieza de algodón clavada en un marco. Es la clase de cielo que hace que todo cuanto se encuentra más abajo parezca más brillante, más depurado. Atravieso el arroyo y dejo a un lado las tierras bajas en las que Joel plantó maíz la pasada primavera. Los tallos que aún quedan en pie recuerdan a los restos de un incendio, se ven quebradizos y chamuscados, de un tono gris ceniza; las cáscaras arrugadas de las mazorcas se entrelazan entre sí.

La tierra vuelve a elevarse y paso por la casa de la tía Margaret y por la iglesia; dejo a un lado otro pasto más y otro campo de maíz. Luego, sólo se divisan huertos de manzanas. La temporada de recogida está tocando a su fin, pero aún permanecen algunos frutos que aportan pinceladas rojas y amarillas a las ramas de tono marrón. Las intensas lluvias de la primavera, aquellas lluvias que me trajeron hasta aquí en el mes de mayo, han asegurado una buena cosecha.

Giro a la izquierda en la señal de stop, porque antes de marcharme tengo que acudir a un último lugar. Paso por la tienda de Billy y la cabaña de Luke, siguiendo la inclinación de la tierra a medida que baja hacia el río. Aparco en el recodo de la carretera y voy caminando hasta llegar al centro del puente.

Coloco las manos en la barandilla y miro hacia abajo. Los álamos y los ocozoles mantienen ramilletes de tonos dorado y púrpura, pero muchas de las hojas se han caído ya. El escaso follaje provoca que el río parezca más ancho, como si ambas orillas hubieran sido empujadas varios metros hacia atrás. Permanece el color suficiente para una buena fotografía. Mi cámara se encuentra en el asiento delantero del coche, pero no voy a buscarla.

El caudal de Tamassee está bajo. Las rocas que en mayo se encontraban sumergidas se asoman por encima de la corriente. Las aguas que antaño eran bravas ahora fluyen lentas y cristalinas. Dos truchas centellean junto al lecho arenoso. Sus aletas rasgan la superficie a medida que flotan suavemente un par de metros río abajo, y luego regresan a toda prisa adonde la hembra ha empleado su aleta caudal para excavar un nido. Sólo veo sus lomos negros, no distingo las manchas rojo sangre de sus flancos, ni el ocre pálido de su vientre.

Me llegan voces desde debajo del puente y momentos después aparece una balsa de color amarillo en cuyo lateral se ha pintado con letras negras: PROPIEDAD DE EXCURSIONES RÍO TAMASSEE. Ya es tarde en el año para una salida en balsa, probablemente se trata de algún grupo de empresa o de miembros de una iglesia con el dinero suficiente para convencer a Earl Wilkinson de que sacara la balsa del almacén. Llevan chalecos salvavidas amarillos y cascos de tonos rojo, verde y azul. Uno de los tripulantes me ve y me saluda con la mano. Earl mira hacia arriba y nuestros ojos se encuentran. Asiente con la cabeza, pero no sonríe. Observo cómo la balsa se va deslizando corriente abajo, atraviesa el arroyo de Deep y deja a un lado la roca del Lince. El sol ha salido y los brillantes colores se entremezclan mientras yo entono una especie de plegaria.

Una brisa se eleva desde el río. Levanto el cuello de la cazadora y me remeto las solapas de tela vaquera bajo la barbilla. Dentro de un mes, habrán caído todas las hojas. Todo cuanto estaba oculto, emergerá: los orificios en la madera; las raíces sin corteza; el muérdago; y los nidos de ardilla, en lo alto de los árboles. Desde este puente, se podrán seguir las curvas y meandros del río a medida que las aguas marcan la frontera entre dos estados. Los farallones y los riachuelos quedarán más a la vista. También la fauna silvestre, sobre todo los ciervos y los pavos salvajes; también algún que otro lince y jabalí, incluso un oso negro en busca de alimento. Pudiera ser que un felino de mayor tamaño permitiera una visión fugaz de sus ojos amarillos y su cola de punta negra antes de volver a desaparecer en el reino de la fe.

Desde este puente no puedo ver el remanso a los pies de la cascada del acantilado del Lobo, pero sé que ahora el agua está baja y cristalina, y en las zonas menos profundas se amontonan hojas amarillo y púrpura. Tal vez las truchas desoven en esas zonas de bajo fondo, y sus aletas remuevan el follaje mientras dan rienda suelta a ancestrales impulsos.

En la oscuridad que proyecta la cúpula de piedra bajo la cascada, la corriente no aminora ni se desvía en reconocimiento de la anterior presencia de Ruth Kowalsky y Randy Moseley, pues ahora y para siempre se hallan perdidos en el vasto y generoso olvido del río.

Agradecimientos

El autor desea agradecer a John Lane, Marlin Barton, Tom Rash y Butch Clay su ayuda con esta novela. Muchas gracias también a Lee Smith, Robert Morgan, el personal del Janette Turner Hospital y Silas House, George Singleton, Frye Gaillard, Amy Rogers, Linda Elliott y Don Garrison. Todos ellos buenas personas. Me encuentro en especial deuda con tres ángeles del paraíso de la Literatura: Nancy Olson, extraordinaria librera; Jennifer Barth, editora de máximo tanto talento; y, sobre todo, Marly Rusoff, agente literaria excepcional y excepcional ser humano. Mi más profundo agradecimiento a todos ellos.